AU PAYS DES OMBRES

Gilbert Gallerne

Au pays des ombres

Fayard

L'éditeur remercie Jacques Mazel pour sa contribution.

ISBN : 978-2-213-61580-6

Le Prix du Quai des Orfèvres a été décerné sur manuscrit anonyme par un jury présidé par Monsieur Christian Flaesch, Directeur de la Police judiciaire, au 36, quai des Orfèvres. Il est proclamé par M. le Préfet de Police.

Novembre 2009

Chapitre Un

Vincent Brémont s'écarta du mur contre lequel il s'était adossé pour fumer une dernière cigarette. Il lui avait semblé entendre les échos d'une dispute lointaine. Était-ce un effet des vapeurs de whisky qui noyaient son cerveau ? Le bruit ne se répéta pas. Il avait dû se tromper, ou bien confondre avec une émission de télévision. La nuit, les sons portent loin. Et ce soir particulièrement, tandis que Cabourg dormait, se remettant de la chaleur inhabituelle de cette journée d'avril. Au moins sa fille profiterait-elle de leurs vacances !

Il tira sur sa cigarette dont le bout grésilla dans l'obscurité, et regarda sans la voir la petite maison achetée cinq ans plus tôt avec Alexandra. Ne ferait-il pas mieux de la revendre maintenant qu'elle n'était plus là ? Revenir ici était peut-être

une erreur. Un an après, Julia se remettait à peine du suicide de sa mère. Elle
commençait seulement à s'accoutumer à
ne plus entendre le son de sa voix, à ne
plus la croiser dans les couloirs de leur
grande maison de Nanterre... Mais ici,
en Normandie, partout les murs renvoyaient l'ombre de la disparue, la
décoration portait son empreinte, et la
collection de ses CD évoquait encore son
plaisir à accompagner de la voix les
refrains de ses chanteurs préférés...

Le début de la semaine avait été difficile. Retrouvant cette résidence de
vacances, Julia semblait y chercher sa
mère dans les moindres recoins. Comme
si sa disparition n'était qu'un mauvais
rêve lié à la région parisienne, et qu'elle
allait la voir apparaître dans cette petite
station balnéaire, souriante et détendue
comme à chaque fois qu'ils s'y retrou-
vaient en famille.

Mais son attente demeurerait vaine, et
Vincent savait que cette absence lui
manquerait plus que jamais. Alors que le
temps aurait dû contribuer à atténuer sa
douleur, l'horloge biologique de Julia lui
faisait ressentir de plus en plus dure-

ment le vide laissé par cette disparition. À l'âge difficile où les petites filles se transforment en jeunes femmes, elle avait besoin d'une présence féminine capable de l'accompagner dans cette métamorphose. Vincent la voyait parfois se retourner brusquement, comme si elle sentait sa mère derrière elle. Mais il n'y avait personne, et elle portait alors vers lui un regard éperdu, les yeux pleins de larmes. Il ne pouvait rien pour elle car lui aussi souffrait de la même absence. Le soir surtout, à l'heure où le crépuscule se transforme en obscurité, et où les ombres referment leurs griffes sur le monde, il croyait souvent entrevoir Alexandra, et sa désillusion était chaque fois terrible et dévastatrice. Il se retrouvait seul alors, avec ce grand vide qu'il tentait de noyer faute de pouvoir le combler. Depuis un an, le whisky était devenu son meilleur ami, son plus fidèle compagnon. Il ne se demandait même pas jusqu'où l'abus d'alcool risquait de le mener. Pour l'instant, il vivait au jour le jour avec cette béquille.

Mais Julia ? Sa fille. *Leur* fille, que lui restait-il ? Sur quoi et sur qui pouvait-elle s'appuyer ? Conscient de ne pas lui être d'un grand secours, il s'était d'abord cru très fort, puis avait découvert à quel point il était faible sans la présence de celle qu'il aimait. La mort d'Alexandra lui avait révélé sa propre fragilité, une faille personnelle qu'il ignorait et qui s'imposait à lui.

Pourquoi donc Alexandra avait-elle choisi d'en finir avec la vie ? Depuis un an, inlassablement, cette question le taraudait et restait sans réponse. Qu'avait-il fait ou dit, que n'avait-il pas fait ou pas dit, pour justifier un tel acte ? Si même Alexandra en avait à ce point assez de lui, pourquoi en arriver à une telle extrémité ? Comment avait-elle pu décider d'abandonner aussi sa fille ? À onze ans, Julia avait encore tellement besoin d'elle. Comment Alexandra, si responsable et attentionnée jusque-là, avait-elle pu se montrer soudain égoïste, alors qu'elle avait toujours fait passer leur fille avant tout ?

Comme elle ne pouvait en vouloir à Julia, la raison de son suicide devait donc relever forcément de sa responsabilité à lui. Fallait-il qu'elle le déteste pour en arriver là et s'y prendre ainsi, alors qu'il n'avait rien vu venir, sans même un mot d'explication, sans indice précurseur : rien dans son comportement ne laissait présager cette fin. Comment peut-on susciter tant de haine chez la personne que l'on croit être la plus proche ?

Vincent en était là de ses pensées quand, subitement dégrisé, il jeta sa cigarette et porta par réflexe sa main à la hanche, mais son Glock était resté à Paris.

Une détonation venait de résonner dans les ruelles entre les petites maisons. Elle provenait de moins de cent mètres. Il se mit à courir, puis une seconde retentit, plus proche.

Vincent accéléra sa course. Il surgit dans l'avenue du Général Castelnau et jugea la situation d'un regard. Un corps gisait sur le trottoir, à trente mètres de lui, masse confuse sous l'éclairage cru d'un réverbère. Une ombre fuyante disparaissait au détour d'une rue, cinquante mètres plus loin. En s'approchant, il découvrit le corps d'un homme blanc, d'une cinquantaine d'années, allongé sur le ventre, la tête tournée de côté, mal

rasé et portant des vêtements ordinaires,
avec de mauvaises chaussures aux pieds.
Une tache de sang s'élargissait dans le
dos de sa veste, et l'arrière de son crâne
était éclaté.

Vincent ne pouvait plus rien pour cet
inconnu. Que devait-il faire ? Attendre
l'arrivée de la police locale ? L'assassin
venait juste de quitter les lieux. Avec un
peu de chance, il pouvait le rattraper.
Mais il n'avait pas d'arme, et la ville tanguait autour de lui, sous l'effet de l'alcool
que l'effort fourni avait augmenté. Il
s'appuya d'une main contre un mur, et
inspira une grande goulée d'air pur.
Saleté de cigarette ! Il ne fumait pourtant pas beaucoup, à peine une ou deux
après dîner... Mais la cigarette n'était
pas seule responsable de son état de
délabrement physique.

Attendre sur place ne le mènerait à
rien, alors que le meurtrier se perdait
dans les rues obscures... Il se remit à
courir, ignorant toute prudence, et
concentrant son attention sur les rues
au-delà du carrefour où il avait cru voir
disparaître quelqu'un. Il venait rarement
de ce côté-ci. La plage où il emmenait

Julia se situait à l'opposé, et quand ils arrivaient de Paris, ce quartier n'était pas sur leur chemin.

Il se plaqua contre le mur à l'angle du croisement et risqua un œil prudent. Deux malheureux réverbères éclairaient la rue, laissant entre leurs cônes de lumière assez de zones d'ombres pour dissimuler une petite armée parmi les voitures garées de chaque côté de la chaussée, ou dans l'encoignure des portes donnant sur des jardins particulièrement sombres. Rien ni personne ne bougeait. Quarante mètres plus loin, une autre ruelle croisait cette rue. Vincent fonça, escomptant que le meurtrier aurait profité de son avance pour filer plutôt que d'attendre pour régler son compte à un éventuel poursuivant. S'il se trompait, il serait vite fixé.

Il tendit l'oreille, mais aucun bruit de course ne lui parvint. Le fugitif pouvait avoir pris n'importe quelle direction… D'expérience, il savait que la psychologie du fuyard le poussait à chercher à s'éloigner le plus vite possible. Tourner à droite l'aurait ramené vers le lieu du crime. Vincent prit à gauche et se

remit à courir, conscient maintenant
qu'il ne lui restait plus que quelques
secondes pour le rattraper ou bien
s'avouer vaincu. Il accéléra encore
l'allure, jusqu'à parvenir au croisement
suivant où il s'arrêta, les mains sur les
cuisses pour reprendre à nouveau son
souffle.

Une voiture le frôla, son conducteur et
sa passagère le dévisageant au passage.
Il se redressa, attendant que sa respira-
tion se calme et que les battements de
son cœur retrouvent un rythme normal,
apaisé. Le meurtrier pouvait être
n'importe où. Peut-être même était-il
revenu sur ses pas ? Peut-être s'était-il
glissé dans l'un des jardins que Vincent
venait de dépasser ? Ou bien le tueur se
tenait-il tapi là, quelque part dans
l'ombre, à l'observer tandis qu'il reprenait ses forces ? Vincent réalisa qu'il
s'était montré bien imprudent de se lan-
cer ainsi à sa poursuite, seul et sans
arme. Son entreprise était vaine. Même
s'il était parvenu à le rejoindre,
qu'aurait-il fait à mains nues ?

« Donnez-moi votre arme, je vous
arrête ! »

Une telle interpellation aurait été dangereuse et risible. C'était un coup à prendre une balle dans le ventre et à crever là, au bord du caniveau, un coup à rejoindre Alexandra.

Peut-être la solution après tout : la rejoindre !

Il se ressaisit et revint sur ses pas sans se hâter, le regard scrutant le sol à la recherche du moindre indice, ou d'une arme abandonnée…

Dans la rue où se trouvait le corps, quelques fenêtres commençaient à s'ouvrir et les gens à s'interpeller, alertés par les coups de feu. À une centaine de mètres de là, une voiture démarra lentement et s'éloigna. Hélas, le lampadaire défectueux et la distance ne lui permettaient pas d'en identifier la marque et encore moins d'en relever le numéro d'immatriculation.

Alors que Vincent était revenu vers le cadavre et se penchait sur lui pour palper ses poches à la recherche d'un portefeuille, un gyrophare balaya la nuit, qui le fit se relever.

Une voiture de police se rangea le long du trottoir et deux agents en uniforme

en descendirent, tandis que le conducteur demeurait à bord et décrochait sa
radio pour confirmer la présence d'un
corps sur le trottoir. Vincent s'avança
vers les deux hommes.

– Bonsoir. Capitaine Vincent Brémont
de la PJ de Paris.

– Qu'est-ce qui s'est passé ? demanda
le plus grand des deux flics, tandis que
l'autre jouait nerveusement avec l'étui de
son arme tout en jetant des regards
anxieux autour de lui.

– J'habite tout près d'ici. Je suis en
vacances et j'étais sorti fumer une cigarette quand j'ai entendu deux coups de
feu, répondit Vincent. J'ai accouru et j'ai
vu quelqu'un disparaître au carrefour ; je
me suis lancé à sa poursuite mais il m'a
semé. Je suis revenu, et vous êtes arrivés.

– Vous vous êtes lancé sans arme à la
poursuite du meurtrier ?

Vincent haussa les épaules.

– Sur le coup, je n'ai pas réfléchi.

Tandis qu'ils discutaient, le deuxième
agent s'était penché pour examiner le
corps. Il se redressa, un papier à la main.

– Il avait ça dans la poche.

Il se retourna pour lire le papier à la lumière du réverbère. C'était une petite feuille arrachée d'un bloc-notes.

– Il y a une adresse dessus, constata le policier : *37, impasse Pierre Loti.* C'est dans le coin, non ?

– Oui, répondit l'autre. C'est dans le lotissement qu'ils ont construit derrière le cimetière.

Vincent n'avait pas besoin qu'on lui dise où se trouvait la rue Pierre Loti.

– C'est mon adresse, constata-t-il.

Les deux policiers se tournèrent vers lui d'un même mouvement, et il comprit que sa situation venait de prendre une sale tournure.

Chapitre Deux

Vincent eut à peine le temps d'ouvrir la porte que Julia se précipitait dans ses bras.

– Calme-toi, qu'est-ce qui se passe ?

– J'ai entendu des coups de feu.

– Je n'ai rien à voir là-dedans, j'étais juste dehors en train de fumer une cigarette...

– Je sais, mais tu ne revenais pas et c'est... c'est...

La fillette ne put contenir plus longtemps ses sanglots. Il la serra contre lui, tentant de la rassurer du mieux qu'il pouvait. Du menton, il désigna la veste suspendue à une patère derrière la porte.

– Mes papiers sont là.

Le lieutenant de police qui l'avait suivi, souleva le vêtement et en sortit son portefeuille. Le premier document visible était sa carte de police, et il la montra à ses collègues derrière lui. Les trois hommes se détendirent un peu.

– Ok, dit le premier. On peut visiter ?

Vincent haussa les épaules. Cette visite n'avait rien d'obligatoire, mais il se trouvait dans une situation suffisamment compliquée pour ne pas aggraver son cas par un refus qui pourrait lui être préjudiciable. Il accepta d'autant plus volontiers qu'il estimait en outre n'avoir rien à cacher.

Les policiers occupèrent son domicile. Le premier demeura près de lui, tandis que les deux autres investissaient la petite maison.

– Vous avez bu ? demanda celui qui était resté à ses côtés en désignant la bouteille de whisky et le verre vide sur la table du salon.

– Oui. C'est interdit ?

– Ça dépend de ce que ça peut vous pousser à faire.

– Vous voulez sentir mes mains ?

– On verra ça au commissariat.

– Ça ne peut pas attendre demain ?

– Je crains que non. Y'a quelqu'un pour s'occuper de la gamine ?

Julia leva vers lui un regard effrayé.

– Papa, qu'est-ce qui se passe ? Pourquoi veulent-ils t'emmener ?

– Ce n'est rien. Il y a eu des coups de feu. J'étais le premier sur les lieux, je suis le témoin principal. Ils ont besoin de mon aide. C'est la procédure normale. Je vais appeler Michel au cas où cela durerait un peu, pour qu'il vienne veiller sur toi.

– Non ! Ce n'est pas la peine. Je suis assez grande !

Douze ans, cela faisait tout de même un peu jeune, même s'il était vrai que Julia avait beaucoup mûri depuis un an.

– De toute façon, il n'aura pas le temps de venir. Il est à deux cents kilomètres d'ici. Le temps qu'il arrive, on sera déjà demain.

Vincent réfléchit. Julia avait raison. Michel était son meilleur ami et leur voisin dans la région parisienne. De quinze ans son aîné, il l'avait formé dans les années 90, dès son entrée dans la police. À l'époque, Michel avait déjà bien réussi dans le métier, et sans un faux pas que les « bœuf-carottes » ne lui avaient pas pardonné quelques années plus tard, il aurait pu encore monter dans la hiérarchie. Mais voilà, il avait eu l'imprudence de trop faire confiance à un indic, et l'Inspection Générale des Services n'avait rien voulu savoir. On avait parlé de corruption... Entre une procédure au tribunal et une lettre de démission, il n'avait pas hésité longtemps. Et il n'avait pas eu à regretter cette décision, même s'il l'avait prise à son corps défendant. Il avait retrouvé très vite du travail dans une société de surveillance, au moment où ce marché commençait à se développer. Financièrement, ce changement avait été un coup de maître.

Vincent lui avait conservé son amitié, n'ayant jamais été convaincu par les preuves avancées par l'IGS un peu trop influencée, à son avis, par le témoignage de l'indic. Michel avait bien tenté de l'attirer dans son entreprise en pleine expansion où il montait rapidement en grade, mais lui-même aimait trop le travail d'enquête et de lutte contre les gangsters pour se contenter d'un rôle de conseiller en sécurité pour sociétés anonymes, malgré une différence sensible de salaire. Plus âgé que lui, Michel avait pris sa retraite depuis peu, et disposait donc de tout son temps. Vincent savait que, même réveillé en pleine nuit, son ami n'hésiterait pas à sauter dans sa voiture pour lui rendre service. Mais il serait sans doute ressorti du commissariat avant son arrivée. Si les choses s'envenimaient, il serait toujours temps de l'appeler au petit matin et il pourrait être là avant midi. Entre temps, sa fille ne risquait pas grand-chose. Et puis, il n'y avait aucune raison pour que la situation tourne mal...

– D'accord, concéda-t-il. Mais tu fermes bien la porte, tu gardes ton téléphone près de toi et, s'il y a quoi que ce soit, tu m'appelles ou tu appelles le commissariat.

Il regarda le policier qui sortit une carte de sa poche et la tendit à l'enfant.

– Tiens, ça c'est mon numéro direct. Si tu ne pouvais pas joindre ton père, moi je serais là.

Vincent n'aima pas trop la façon dont l'agent avait dit ça. Mais il pouvait comprendre sa méfiance : on l'avait tout de même trouvé en train de fouiller une victime qui avait son adresse dans la poche.

– On y va ?

Vincent prit sa veste et l'enfila, puis récupéra son portefeuille. Il vérifia qu'il avait bien son téléphone portable et se pencha affectueusement vers sa fille. Elle avait les larmes aux yeux. Il déposa un baiser sur chacune de ses paupières.

– Courage, ma grande, je vais revenir vite !

Ce n'était pas la première fois qu'il abandonnait sa fille, mais d'habitude il y avait toujours quelqu'un à proximité pour veiller sur elle. À Nanterre, Michel remplissait cet office depuis son pavillon voisin d'où il lui était aisé de garder un œil sur ce qui se passait chez Vincent en son absence. Ici, la seule personne de leur connaissance était une vieille dame de l'autre côté de la rue. Mais il ne se voyait pas frapper à sa porte en pleine nuit pour lui expliquer que la police l'emmenait et qu'elle devrait héberger sa fille en attendant son retour.

Julia l'étreignit avec une force dont il ne l'aurait pas crue capable.

– Je t'aime.

– Moi aussi je t'aime, bout de chou.

Elle opina, trop émue pour en dire davantage. Il l'embrassa à nouveau et se redressa alors que le policier derrière lui commençait à se montrer impatient.

– Allons-y, messieurs, j'ai hâte de voir comment vous êtes installés.

Chapitre Trois

Cabourg dépendant du commissariat de Dives-sur-Mer, on y conduisit Vincent. Malgré l'heure tardive, le commandant Monnier, responsable du commissariat, s'était déplacé. Ce n'était pas tous les jours qu'on assassinait dans sa commune, et un cadavre sur la voie publique faisait toujours mauvais effet, surtout en période de vacances scolaires. Pas étonnant donc qu'il ait abandonné la chaleur de son lit pour prendre, dès le début, cette affaire en main. Il avait insisté auprès du procureur de la République pour que l'enquête lui soit confiée.

Son sourire encourageant, par-dessus son bureau, n'impressionnait pas Vincent qui avait suffisamment pratiqué ce petit jeu pour savoir à quoi s'en tenir et ne pas être dupe de ses manières avenantes. Même dans un commissariat de province, il se devait de rester très vigilant et de ne pas se laisser aller : sa situation était assez délicate pour qu'il fasse attention à son comportement et à ses déclarations.

Il promena un regard faussement décontracté sur le décor qui l'entourait. Ce petit bureau vitré dans lequel le commandant Monnier le recevait, n'avait rien de particulièrement remarquable : murs gris, meubles gris, deux fauteuils face au bureau, une « chandelle » métallique aux casiers fermés sur de mystérieux dossiers... C'était bien le commissariat de province type !

– Alors, récapitulons, proposa Monnier se rapprochant un peu plus. Vous sortez fumer une cigarette, vous entendez deux coups de feu, vous vous précipitez et tombez sur un cadavre.

Vincent ne se donna même pas la peine de répondre.

– Vous apercevez un mystérieux fuyard et vous vous lancez à sa poursuite, bien que seul et sans arme.

Vincent haussa les épaules. Il était à moitié saoul au moment des faits, et pas vraiment en état de réfléchir ! Depuis, il avait eu le temps de dégriser et aurait bien repris un verre, mais se gardait bien de demander quoi que ce soit. Que l'autre sente une faille et il s'y engouffrerait. Et l'interrogatoire durerait encore des heures. Pour le moment, ce que Vincent désirait avant tout, c'était rentrer chez lui.

– Vous n'arrivez pas à rattraper ce mystérieux fuyard, et vous revenez vers la victime. Là, vous lui faites les poches…

– J'ai juste palpé ses vêtements.

– Dans lesquels on n'a rien retrouvé. Vous ne sauriez pas où est passé son portefeuille, par hasard ?

– Je vous ai déjà dit que non. Cherchez dans les jardins voisins, l'assassin l'a peut-être jeté en s'enfuyant. Enfin, nous à la PJ, c'est ce qu'on ferait.

Le commandant n'eut pas l'air d'apprécier la référence.

– Ne vous inquiétez pas, ici aussi on connaît la procédure. Donc, vous l'avez palpé, et quand mes hommes arrivent et vous surprennent, ils ne trouvent rien, si ce n'est un morceau de papier avec votre adresse. Comment vous expliquez ça ?

– Je vous l'ai dit : je ne me l'explique pas.

– Vous n'aviez jamais vu cet homme ?

– Pour autant que je me souvienne, non. Écoutez, vous n'avez rien contre moi. Je suis un citoyen respectable, un collègue, et j'ai une fille mineure qui m'attend toute seule à la maison. Je ne vais pas m'enfuir et je n'ai rien de plus à vous apprendre. Me garder ici ne sert à rien. Je perds mon temps, et vous perdez le vôtre.

– Vous savez, en province, nous n'avons pas souvent l'occasion de traiter de telles affaires, et nous n'avons pas non plus la chance de profiter des « lumières » d'un collègue de la PJ.

Vincent se retint de répondre. Il était à la merci de cet homme, et ils le savaient tous les deux. L'irriter n'arrangerait pas ses affaires. Il soupira.

– Ok. Si je vous ai blessé, je m'en excuse. Mais mettez-vous à ma place : je suis en vacances, je tombe sur un mac-chabée, je tente de rattraper le meur-trier, et tout ce que je récolte c'est une garde à vue qui ne dit pas encore son nom. Bon, ce type a mon adresse dans sa poche, et alors ?

– Et alors, j'aimerais bien savoir ce qu'elle faisait là, et quel est le lien entre vous et lui.

– Moi aussi, figurez-vous, je préfèrerais comprendre. Mais j'ignore ce fameux lien. Tout ce à quoi je peux penser, c'est à une vengeance.

– Pour ça, il faudrait que vous le connaissiez.

– Lui ou quelqu'un d'autre. On l'a peut-être payé pour venir me tuer.

– Et un bon samaritain lui aurait mis une balle dans la tête avant qu'il ne vous trouve ?

Vincent eut un geste d'impuissance.

– Vous voyez une autre explication ?

– Oui : vous le connaissez et il venait vous rendre visite pour vous apporter ou bien pour chercher quelque chose. Peut-être un maître-chanteur ou quelqu'un dans ce goût-là. Et vous l'avez tué pour être tranquille ou pour garder ce qu'il vous livrait, sans avoir à payer.

– Dites, vos gars ont pris leur temps pour débarquer. Si je l'avais tué, j'avais tout le temps de filer avant leur arrivée.

– C'est peut-être ce que vous avez fait. Vous le flinguez, vous piquez ses papiers et vous disparaissez avec ce qu'il vous apportait. Puis vous avez un doute – justifié puisqu'on a retrouvé votre adresse sur lui – et vous revenez finir de le fouiller. Pas de chance, mes gars vous tombent dessus à ce moment-là.

– Un peu tirée par les cheveux comme explication, non ?

– Peut-être, mais c'est la seule qui me vienne à l'esprit.

– Et puis, les prélèvements que vous avez faits démontrent que je n'ai aucune trace de poudre sur les mains.

– Mais vous avez pu utiliser des gants et vous en débarrasser à notre insu.

– Ok. Si ça peut vous rassurer, vous n'avez qu'à perquisitionner chez moi !

Les deux hommes se toisèrent un long moment, puis le commandant secoua négativement la tête. Ses hommes s'étaient déjà livrés à une fouille rapide lors de leur première visite et il ne pouvait espérer grand-chose d'une nouvelle tentative.

– On ne trouvera rien. À part des bouteilles vides, je suppose.

Vincent décida d'ignorer la pique qui n'était pas tout à fait dénuée de fondement.

– Alors ? Si mon hypothèse est la bonne et que ce type est venu pour me tuer, je vous rappelle que ma fille est restée seule. Pour vous aider dans votre enquête, je n'ai pas pris le temps de m'organiser, mais je ne pensais pas que votre interrogatoire durerait aussi longtemps.

Le commandant opina avec gravité.

– Oui. Votre fille est la seule raison pour laquelle je prends la décision de vous relâcher.

Vincent retint un soupir de soulagement.

– Bien entendu, vous ne quittez pas la ville.

– Je suis en vacances jusqu'à la fin de la semaine.

– D'ici là, on y verra plus clair. Vous avez une arme ?

– Non, je vous l'ai déjà dit. Elle est restée à Paris.

Ils se levèrent en même temps.

– Si quelque chose vous revient...

– Je ne manquerai pas de vous appeler. De votre côté...

– Oui ?

– Si vous identifiez le cadavre, j'aimerais connaître son identité.

Le commandant le regarda comme s'il
avait déjà son opinion sur le sujet.

– Bien sûr.

Ils se séparèrent sans se serrer la
main, et Vincent se retrouva dehors. Il
ne demanda pas à être raccompagné
chez lui ; il habitait à moins d'un quart
d'heure et il avait hâte de retrouver sa
fille pour la rassurer.

Et de se servir un grand whisky.

Chapitre Quatre

Le commandant Monnier regarda la fiche anthropométrique que le lieutenant Cornec venait de poser sur son bureau.

– *Yvon Kervalec. Garagiste carrossier de son état, receleur à l'occasion.* Alors c'est ça, notre victime ?

– Les empreintes concordent ; pour une fois, ils ont fait vite.

– Dommage qu'on n'ait pas eu l'information une heure plus tôt. Je suis sûr que ça aurait intéressé notre collègue de Paris.

Le lieutenant Cornec regarda son supérieur. Il se trouvait de permanence lorsqu'on avait signalé le meurtre, et c'était lui qui avait pris l'initiative de tirer Monnier du lit.

– Vous croyez qu'il a fait le coup ?

Le commandant eut une moue perplexe.

– Possible. En tout cas, la victime avait bel et bien son adresse dans la poche. Et en parlant d'adresse… Voilà qui est intéressant !

– Quoi donc, chef ?

– Ce Kervalec, il habite Nanterre.

– Et alors ?

– Notre collègue aussi.

– Et il prétend ne pas le connaître ?

Le lieutenant était encore jeune, et il avait fait l'essentiel de sa carrière dans la région.

– Nanterre n'est pas une très grande ville, expliqua Monnier, mais le problème de la banlieue parisienne c'est que toutes les villes se touchent. Vous pouvez très bien habiter Nanterre et ne fréquenter que des gens de Courbevoie. Ou bien vous travaillez sur Paris, comme lui, vous ne rentrez chez vous que pour dormir et vous ne connaissez personne à dix kilomètres à la ronde.

Cornec paraissait dubitatif. Ce mode de vie dépassait son entendement.

– Bon, il va me falloir obtenir l'accord du parquet pour aller sur place. J'ai hâte de voir le garage de ce monsieur Kervalec.

Tout en parlant, il feuilletait la liasse que le lieutenant venait de lui apporter.

– Tiens, intéressant.

– Quoi donc, chef ?

– Kervalec sort de prison. Il vient de purger un an pour recel.

– Et alors ?

– Et alors, à peine sorti, il fonce droit chez Brémont. Il faut croire que ce qu'il avait à lui dire était sacrément important et urgent. Ils habitent à quelques kilomètres l'un de l'autre, mais il se tape deux cents bornes pour venir lui parler. Et ça, qu'est-ce que c'est ?

– J'allais vous en parler. J'ai fait une recherche sur le nom de Brémont, et voici ce qui est sorti.

Le commandant Monnier examina le document et émit un sifflement admiratif.

– Beau boulot, lieutenant.

– Vous croyez qu'il y a un rapport ?

Monnier tapota le papier du bout des doigts.

– Je l'ignore. Mais manifestement on ne s'est pas tout dit avec le capitaine Brémont. Sa femme s'est suicidée, il y a tout juste un an. Il ne s'agit peut-être que d'une coïncidence, mais ça fait quand même deux cadavres dans le voisinage de notre suspect, à un an d'intervalle. Bon, je m'occupe d'aviser le substitut. Pendant ce temps, vous me « creusez » ce Kervalec. Voyez les connections possibles avec Brémont. Trouvez un plan de Nanterre, et vérifiez leurs adresses. Je veux bien croire qu'ils ne se connaissaient pas s'ils vivaient à dix kilomètres d'écart, mais s'ils sont à deux rues et que Brémont ne l'a jamais vu, va falloir qu'il m'explique pourquoi il ne porte pas de lunettes.

Chapitre Cinq

Inconscient de l'intérêt dont il faisait maintenant l'objet, Vincent Brémont était installé dans son fauteuil préféré. Après avoir été relâché, il avait cherché sans répit le lien qui pouvait le relier à cet homme venu se faire tuer devant chez lui. Il n'avait toujours rien trouvé lorsqu'il finit par sombrer dans un sommeil libérateur aux premières lueurs de l'aube.

À son réveil, Julia était déjà levée. Elle avait rangé le salon et fait disparaître la bouteille de whisky et le verre sale.

Vincent s'extirpa du fauteuil avec l'impression désagréable que ses membres s'étaient rigidifiés. Il s'étira en grimaçant de douleur. Sa montre indiquait midi, et il ne ressentait guère l'envie de faire la cuisine.

– Julia ?

Le visage de sa fille apparut à la porte de sa chambre.

– Ça te dirait un resto ?

Elle hocha la tête. Depuis quelque temps, elle était incapable de manifester la moindre expression de joie.

– Eh bien, prépare-toi. Je passe sous la douche et on y va.

Quand il ressortit quelques minutes plus tard, elle n'était pas encore prête. Sur ce plan-là aussi, elle devenait une vraie petite femme.

Il profita de ces quelques minutes de répit pour appeler Michel et l'informer de son étrange mésaventure.

Après l'avoir laissé parler, son ami lui avoua ne rien comprendre.

– Ce type avait ton adresse dans la poche et tu ne le connais pas ?

– Je n'en sais rien, je l'ai peut-être croisé ici ou là, mais ça ne me dit rien.

– Et les locaux te soupçonnent ?

– Ils n'ont personne d'autre à se mettre sous la dent.

– Mauvais, ça !

– Je ne te le fais pas dire.

– Ils vont te retenir ?

– Pour l'instant, ils n'ont rien contre moi, à part ce papier avec mon adresse. Un peu léger comme mobile.

– Tu as prévenu ton divisionnaire ?

– Pas encore, je t'ai d'abord appelé. Je suis un peu dans le cirage et j'avais besoin de conseils.

– Premier conseil, évite de boire pendant un certain temps. Tu vas avoir besoin de toutes tes facultés si tu es bombardé suspect numéro un.

Vincent grogna ce qui pouvait passer pour une approbation.

– Deuxième conseil, reviens à Paris dès que possible. Reprends le boulot. Tu seras mieux placé pour suivre l'enquête et te tenir au courant.

– Je rentre lundi de toute façon. Mais je doute que les locaux acceptent de me voir partir tout de suite.

– Oui, tu as peut-être raison. En tout cas, évite de les prendre de haut. Même s'ils sont en province, ils peuvent résoudre une affaire aussi bien que la PJ.

– *Presque* aussi bien.

– D'accord, *presque* aussi bien. Mais le problème c'est que, pour l'instant, ce sont eux qui mènent le jeu dans lequel tu n'es qu'un pion. Ton seul avantage est de connaître la chanson. Utilise ton savoir et ton expérience pour jouer ta partie du mieux possible. Ne fonce pas tête baissée, tu sais que c'est ton principal défaut.

– Souvent, ça marche.

– Non : *quelquefois,* ça marche ! Mais quand tu te cognes à un mur, tu ramasses une migraine carabinée. Et là, tu risques de rencontrer un sacré mur. Fais gaffe. Ne te laisse pas emporter.

– Ok, papa, je vais t'écouter !

– Te fous pas de moi, c'est sérieux. Tu es dans une situation difficile. Je n'aime pas te le rappeler, mais souviens-toi de ce que tu as subi à la mort d'Alexandra...

Vincent non plus n'aimait pas évoquer cette période. Alexandra s'était suicidée avec son arme de service, et il avait passé un sale moment entre les mains de ses collègues. Le fait qu'elle n'ait pas laissé la moindre explication à son geste n'avait pas arrangé sa situation, pas plus que l'alibi fumeux qu'il avait fourni. Pendant plusieurs semaines, il s'était retrouvé dans la peau du suspect numéro un, jusqu'à ce que l'on conclue à un suicide. Mais, même à ce moment-là,

il avait senti que le commandant Planchet, chargé de l'enquête, n'était pas
totalement convaincu de son innocence.

Sa fille apparut enfin dans l'encadre-
ment de la porte du salon, pomponnée
comme pour aller au bal.

– Ok, s'interrompit-il, je te rappellerai
plus tard. J'emmène Julia au restaurant
et elle m'attend.

– Amusez-vous bien. Et si tu as
besoin de quoi que ce soit, tu sais où
me trouver.

Vincent raccrocha, rasséréné par cet
échange confiant. Malgré leur différence
d'âge, Michel était son seul véritable
ami, et faisait pratiquement partie de la
famille. Il le considérait à fois comme un
père et comme un frère. Et lorsque Julia
était née, c'est tout naturellement
qu'Alexandra et lui s'étaient tournés vers
Michel pour lui demander d'en être le
parrain. Par la suite, celui-ci avait
emménagé près de chez eux et faisait à
l'occasion office de baby-sitter lorsque le
couple devait s'absenter. Il occupait
maintenant sa retraite en s'impliquant
dans des associations locales : président
de l'amicale des donneurs de sang,

membre influent du comité de quartier, entraîneur de foot pour les gamins du coin… Vincent était heureux d'avoir un ami comme lui. Et il sentait qu'il risquait d'en avoir besoin dans les jours à venir.

– Bon, dit Julia, on y va à ce restaurant ? J'espère que c'est un Mac Do !

– Trop loin, répondit-il avec une parfaite mauvaise foi. On va trouver quelque chose de plus proche. Tu mangeras du poisson, c'est excellent pour la mémoire.

– Pour la mémoire ? Je ne sais pas si c'est vraiment utile…

Il regarda Julia et ne sut que répondre.

– Allez, dépêchons-nous. Sinon il ne restera rien à manger.

Mais, alors qu'ils sortaient, il se demanda une fois de plus s'il apportait vraiment à sa fille tout ce qu'elle était en droit d'attendre de lui dans leur situation. Il préféra ne pas trop chercher la réponse.

Chapitre Six

Vu de l'extérieur, le garage d'Yvon Kervalec ne payait pas de mine. On ne distinguait qu'un long mur dont la couleur grise disparaissait sous les graffitis, jusqu'à une large porte cochère que les taggers n'avaient pas oubliée.

Au-delà, le bâtiment se prolongeait par une maison légèrement surélevée. Trois marches de pierre permettaient d'accéder à son entrée, et les fenêtres étaient à deux bons mètres du sol. Même si le mur de l'habitation n'avait pas encore été taggé, un bon ravalement ne lui aurait pas fait de mal. L'ensemble était gris et sale, situé dans un quartier pauvre de Nanterre. Nul doute que les véhicules que l'on réparait derrière ces murs devaient être plus proches de la casse que de la catégorie susceptible de remporter un Grand Prix. Il se dégageait de toute la bâtisse une impression de misère et d'accablement, comme si la fatalité s'était acharnée sur ces murs pour les conduire au cœur du désespoir dans une dégradation lente et mortelle.

Le commandant Monnier observa les lieux d'un œil perplexe, se confortant dans l'idée qu'il était bien mieux à Cabourg qu'à Nanterre, et se jurant de rejeter au panier toute proposition de mutation qui risquerait de l'éloigner de la mer pour le rapprocher de Paris.

À côté de lui, le lieutenant Cornec examinait également l'endroit, penché sur son volant.

– On y va ? demanda-t-il

– On y va, confirma Monnier.

Pour la perquisition du garage, l'enquête avait été détachée auprès des services de Nanterre. Et le commandant Planchet ne s'était pas fait prier pour mettre avec empressement une équipe à sa disposition, dès qu'il avait appris que le principal suspect était le lieutenant Vincent Brémont.

Apparemment, bien qu'une année se soit écoulée, le commandant Planchet n'avait pas abandonné l'idée que Brémont était coupable du meurtre de sa femme. Il n'avait jamais cru à la thèse du suicide, mais lorsque le procureur avait décidé de classer l'affaire, il n'avait pu que s'incliner. La police avait suffisamment de problèmes d'image sans qu'on l'entache davantage avec une enquête mettant en cause un capitaine en exercice, pour un meurtre perpétré avec son arme de service. L'alibi de Brémont tenait à peu près la route, on ne connaissait pas d'antécédent de violence dans la vie du couple, et aucun mobile ne pouvait être retenu à charge contre lui. L'envoyer en prison ne servirait qu'à mettre une enfant à l'assistance publique, le temps d'un long procès dont ni la justice ni la police ne sortiraient grandies, quelle qu'en soit l'issue. Tous les indices concordaient cependant pour avancer que le suicide était probable à quatre-vingt-dix pour cent, même sans raisons évidentes. Conclusion : suicide confirmé et affaire classée.

Le commandant Planchet avait donc dû s'incliner, mais il demeurait convaincu que cette affaire n'était pas claire, et que leur collègue n'était pas aussi « blanc » qu'il voulait bien l'affirmer.

C'est donc avec un grand plaisir qu'il avait renseigné Monnier, déplorant de ne pouvoir l'accompagner dans sa perquisition. Un gang de cambrioleurs sous surveillance depuis quelque temps, était sur le point de livrer de la marchandise volée à un réseau de receleurs qu'ils souhaitaient prendre la main dans le sac. Sa place était donc parmi ses hommes, au cœur de l'action, plutôt que dans le cambouis d'un garage au bord de la ruine, à la recherche de quelque indice lui permettant de comprendre quel lien existait entre le garagiste assassiné et son collègue policier veuf.

Les deux policiers normands descendirent de leur véhicule. Sur un ordre du lieutenant, une voiture équipée d'un gyrophare apparut au bout de la rue. Elle se rangea le long du trottoir, et quatre uniformes en descendirent. Le lieutenant leur enjoignit de boucler les issues et s'approcha de la porte de la petite maison accolée au hangar.

La femme qui ouvrit à leur coup de sonnette, paraissait porter toute la misère du monde. D'un âge impossible à préciser entre trente et cinquante ans, elle semblait être tombée du lit. Monnier dut se retenir pour ne pas consulter sa montre. Il savait qu'il était un peu plus de onze heures. Mais à en juger par les longs cheveux défaits de cette femme, par son visage sans maquillage, par sa chemise de nuit aux couleurs passées, il aurait aussi bien pu être trois heures du matin.

– Madame Kervalec ? demanda le lieutenant.

– C'est moi. Qu'est-ce que vous me voulez ?

Monnier avait entendu des centaines de fois cette hostilité dans la voix de ces femmes qui restent seules à la maison et sont tenues de se débrouiller pour élever leurs enfants pendant que leur mari fait une fois de plus l'objet d'interpellation policière, en raison de tel crime ou de tel délit.

– Yvon est mort, ça vous suffit pas ?

– Votre mari a été abattu, lui rappela le lieutenant. Nous enquêtons pour retrouver son meurtrier.

– Et c'est pour ça que vous venez chez moi avec tout un car de flics ?

– Nous allons devoir perquisitionner.

– Ah, bravo ! On tue mon mari et c'est chez moi qu'on perquisitionne ! Vous avez rien de mieux à foutre ?

– Madame, je suis le commandant Monnier, de Cabourg. J'enquête sur la mort de votre mari et j'ai fait tout ce voyage pour tenter de comprendre ce qui s'est passé.

– Qu'est-ce qu'il foutait à Cabourg, d'abord ?

– Cela fait partie des choses que nous aimerions élucider. Si vous voulez bien nous laisser entrer ?

– Et si je refuse ?

– Vous ne pouvez pas vous y opposer, sinon je vous place en garde à vue.

Le terme était connu de madame Kervalec qui soupira et s'écarta pour les laisser entrer.

– Tâchez de pas me foutre le bordel.

Monnier pensa que c'était déjà fait quand il découvrit le bazar qui régnait dans cette maison. Le salon était jonché de vêtements plus ou moins sales, de jouets épars, de paquets de biscuits

vides… Manifestement, madame Kervalec n'avait rien d'une fée du logis.

– Vous avez des enfants ? demanda
Monnier.

– Trois. Il ne reste que Frédéric à la
maison. On l'a eu sur le tard. Il est
encore jeune.

Monnier acquiesça et fit le tour du
petit logement. Il découvrit le Frédéric
en question, un gamin d'une dizaine
d'années, seul dans sa chambre au bout
d'un étroit couloir. Recroquevillé sur son
lit, face à une télévision allumée sur un
dessin animé japonais, l'enfant lui jeta
un regard à la fois craintif et intrigué.
Monnier examina la pièce d'un regard
circulaire. Quelques posters aux murs,
des voitures miniatures, des cow-boys en
plastique, et une rangée de DVD sous la
télé. Une carpette élimée sous beaucoup
de poussière, pas un livre, hormis ceux
qui débordaient du sac d'écolier abandonné au pied d'un petit bureau de bois
blanc.

– Ça va ? demanda Monnier.

Le regard de l'enfant demeurait vide,
comme si son esprit n'était plus capable
d'enregistrer la moindre question. Mon-

nier referma doucement la porte derrière lui.

La chambre suivante était celle des parents, et un policier était déjà en train de la mettre sens dessus dessous.

– Doucement, suggéra Monnier, nous sommes chez la victime !

Le policier lui jeta le même regard inexpressif que celui du gamin un instant plus tôt, et Monnier se dit une fois de plus que, décidément, il aimerait bien finir sa carrière en Normandie. Il ressortit et rejoignit le lieutenant qui était demeuré avec la femme dans le salon.

– Où votre mari rangeait-il ses papiers ? demanda-t-il.

– Dans son bureau, au garage.

– On peut y aller ?

Elle hésita, et il devina son appréhension à l'idée de laisser les policiers derrière elle. Elle devait savoir, pour l'avoir déjà vécue, qu'une perquisition doit se faire en présence d'un témoin.

– On pourra revenir ici, dit-il au lieutenant. Mais si on doit trouver quelque chose, je pense que ce sera plutôt dans les papiers de la victime. Et s'il faut fouiller tout le garage, on aura besoin de tous vos gars.

Le lieutenant opina et appela ses hommes. Ils se réunirent dans le salon. Celui qui avait visité la chambre arriva en dernier en exhibant fièrement une boîte à chaussures.

– C'est Noël ! s'exclama-t-il. Regardez ce que j'ai trouvé.

De sa main gantée de latex, il souleva le couvercle, découvrant un pistolet automatique. Un P. 38, une antiquité datant de la guerre mais que certaines unités de la police française utilisaient encore récemment.

– C'est vous qui l'avez mis ! protesta la femme soudain réveillée. C'est pas à nous.

– Du calme ! jeta le lieutenant. Commencez pas. Tu as trouvé ça où ?

– Avec les chaussures. Drôle de pointure !

Tout en parlant, le policier avait refermé la boîte et la glissait dans un sac en plastique.

– Bon, intervint Monnier, je suppose que votre mari n'avait pas d'autorisation de détention ? Nous sommes prêts à croire que vous ignoriez la présence de cette arme chez vous, mais il va falloir vous montrer un peu plus coopérative. On passe au garage ?

Suivie de madame Kervalec, la petite troupe quitta le pavillon pour gagner l'atelier voisin. Son fils était demeuré dans la maison, apparemment indifférent à toute cette agitation.

Le portail grinça sur son rail et les policiers investirent le local. D'après son casier judiciaire, Kervalec faisait dans la réparation, toutes marques, et dans le recel, toutes marques également.

L'endroit était à l'image de l'habitation voisine, le cambouis en plus. Manifestement, le rangement n'était pas le fort des époux Kervalec. Dans un coin, la carcasse d'une belle américaine attendait – sans doute depuis des années – les pièces détachées que Detroit ne fabriquait plus depuis belle lurette. Monnier souleva un chiffon crasseux qui recouvrait le moteur et reconnut la calandre caractéristique d'une Ford Mustang. Rêve de gosse inassouvi ! Il laissa retomber le voile sur ce rêve à jamais interrompu alors que les policiers commençaient à tout retourner. Son regard balaya l'ensemble du garage et découvrit dans un angle, une mezzanine aux parois vitrées.

– Le bureau est là-haut, je suppose ?

La femme haussa les épaules comme si la réponse était évidente, et Monnier s'engagea sur les marches de bois sombre, maculées de taches de graisse et de cambouis, tapissées de poussière incrustée. Il actionna un interrupteur et une mauvaise ampoule projeta une lumière jaunâtre sur la pièce minuscule également recouverte de poussière. Manifestement, Madame n'était pas venue faire le ménage chez Monsieur, pendant qu'il croupissait dans sa cellule !

Le lieutenant Cornec était monté derrière lui alors que le reste de la troupe se répandait au rez-de-chaussée.

– Pas d'ordinateur, constata le lieutenant.

– Ce type devait tout juste savoir compter sur ses doigts.

Avisant une boîte ouverte sur une série de fiches séparées par des cartons à onglets, Monnier parcourut rapidement celles qui correspondaient à la lettre

B. Les fiches n'étaient pas classées par ordre alphabétique à l'intérieur de chaque catégorie, mais elles n'étaient guère nombreuses et il ne lui fallut que quelques secondes pour découvrir ce qu'il cherchait.

– Bingo ! dit-il.

– Quelque chose d'intéressant ?

Monnier tendit la fiche au lieutenant, lui montrant le nom et l'adresse : *Brémont, Nanterre.*

– Voici donc un lien !

Le lieutenant paraissait revigoré par cette découverte, certain à présent qu'ils allaient trouver d'autres éléments permettant de prouver une relation entre Vincent Brémont et la victime que celui-ci prétendait ne pas connaître. Il ouvrit le tiroir central du bureau et farfouilla parmi les objets hétéroclites qu'il contenait, jusqu'à ce que son attention soit attirée par un morceau de tissu.

– Qu'est-ce que c'est que ça ? demanda-t-il en tirant sur un bout de dentelle qui dépassait.

Il ramena à lui un string blanc, ou plutôt qui avait dû être blanc avant d'avoir été taché par le cambouis et la poussière.

– Eh bien, constata le lieutenant, on ne s'ennuie pas dans les garages.

Madame Kervalec les avait suivis et se tenait dans l'embrasure de la porte. Le lieutenant se tourna vers elle en écartant la culotte entre ses mains.

– C'est à vous ?

Le haussement d'épaules fut éloquent.

– Aucune idée de qui ça peut venir ?

Nouveau haussement d'épaules. Monnier intervint.

– Je suis désolé si mon collègue vous paraît brutal, madame, mais nous devons suivre toutes les pistes. Votre époux a peut-être été tué par un mari jaloux, ce genre d'objet peut nous mener à son meurtrier.

– Qu'est-ce que vous voulez que je vous dise ? Qu'on organisait des partouzes dans le garage ? Bon Dieu, au lieu de fouiller dans la vie des gens qui se font tuer, vous feriez mieux de chercher l'assassin !

– C'est ce que nous faisons, madame, c'est ce que nous faisons.

– Y'a autre chose ! ajouta le lieutenant.

Il venait de sortir une enveloppe du fond du tiroir et en vidait le contenu sur le bureau. Un lot de quatre photos s'étala sur le sous-main de plastique gris. Elles reproduisaient le portrait d'une jeune femme blonde, assez jolie, photographiée sur une plage. Les seins nus, elle faisait face à l'objectif et souriait à celui qui avait pris le cliché.

– Vous la connaissez ? demanda Monnier à la femme du garagiste qui s'était approchée pour les regarder.

Elle hésita, et il eut le sentiment qu'elle allait mentir. Elle avait la tête baissée et il ne pouvait voir son regard, mais elle semblait avoir tressailli.

– Jamais vue, dit-elle.

Monnier soupira. Il ne tirerait plus rien de cette femme qui les considérait comme des ennemis. Quoi qu'ils fassent pour élucider le meurtre de son mari, elle prendrait cela pour une intrusion insupportable. Il se redressa, examina le petit bureau. L'idée d'y passer des heures à éplucher toute cette documentation lui répugnait.

– On embarque tout, ordonna-t-il.

Chapitre Sept

Le commandant Planchet passa la tête dans la pièce où Monnier s'était installé avec les caisses de documents emportés lors de la perquisition.

– Un café ? demanda-t-il en montrant les deux gobelets qu'il tenait.

– C'est pas de refus, répondit Monnier en se redressant dans son fauteuil pour s'étirer. Je vais m'endormir à force d'éplucher des factures pleines de cambouis et des courriers de réclamation.

– La pêche a été bonne ?

Il posa un des deux cafés devant Monnier qui s'en saisit.

– Rien jusqu'à présent dans ce qu'on a rapporté, mais sur place, on a trouvé ça.

Monnier sortit de son tiroir un sac de plastique transparent dans lequel se trouvait le string de dentelle.

– Intéressant !

Planchet posa son gobelet fumant sur le coin du bureau et approcha le sous-vêtement de la fenêtre.

– J'avais pourtant l'impression que ce Kervalec ne faisait pas dans la dentelle… Excusez-moi, je n'ai pas pu m'en empêcher. Bien sûr, ça n'appartient pas à son épouse ? On a une idée du cul qui se promenait là-dedans ?

– Je pense que c'est celui de cette dame.

Monnier exhiba les quatre photos de la femme dénudée et les posa à plat sur la table. Planchet se pencha sur les clichés et siffla doucement.

– Bingo ! dit-il sans se douter qu'il réagissait comme son collègue.

– Vous la connaissez ?

– Et comment ! C'est, ou plutôt c'était, la femme de Vincent Brémont, votre témoin. Celui qu'on a trouvé à côté du cadavre de l'homme qui garde chez lui la culotte de sa femme et des photos de celle-ci à poil !

Monnier se pencha à son tour sur le bureau et attira les photos à lui.

– Vous en êtes sûr ?

– Certain. Elle a pris une balle dans le cœur. Le visage n'a pas été touché.

– Parlez-moi d'elle, racontez-moi tout. C'est vous qui avez mené l'enquête ?

Planchet attira une chaise pour s'asseoir en face de son collègue.

– Oui, c'est moi. Mais comme c'était la femme de quelqu'un de la maison, j'ai été sacrément entouré. Je ne pouvais pas faire un pas sans demander l'autorisation du procureur.

– Qui a découvert le corps ?

– Sa fille. Elle avait onze ans. C'était un mercredi. Elle revenait du centre aéré. Sa mère ne travaillait pas ce jour-là, et il était prévu qu'elle vienne la chercher. Mais on ne l'a pas vue. La gamine est donc rentrée avec une voisine et a trouvé la maison apparemment déserte. Comme la voiture de sa mère était dans l'allée, elle a commencé à la chercher et l'a trouvée dans le bureau, dans un fauteuil, une balle dans le cœur. Elle tenait dans sa main le Glock de son mari.

– Où il était, celui-là ?

– En filature d'un suspect. Son alibi tenait à peu près. Il aurait sans doute pu s'éclipser pour venir flinguer sa femme, mais le timing était juste. Néanmoins c'était possible. Personnellement, je crois que c'est ce qu'il a fait, mais le procureur n'a pas voulu me suivre sur ce terrain.

– Il était en filature et n'avait pas son arme sur lui ?

– C'était une belle journée de printemps, il avait laissé le Glock qui était un peu trop voyant sous des vêtements légers, pour prendre un Smith & Wesson 60. C'est un petit revolver qui tient presque dans la main. Il le portait dans un étui de cheville.

Monnier savait ce qu'était un Smith & Wesson 60, un 38 à cinq coups. Pas l'idéal à longue portée, mais largement suffisant pour toucher sa cible à moins de dix mètres et en tout cas, bien plus discret qu'un Glock. Mais les flics parisiens semblaient tous croire que leurs collègues de province en étaient encore à se servir d'arcs et de flèches.

– Elle a laissé une lettre d'explication ?

– Non, rien. C'est ce qui m'a paru bizarre.

– Et à part ce détail, quelque chose clochait ?

– Pas vraiment. Elle s'était tirée une balle dans le cœur, pas dans la tête, ce qui est plutôt le choix des femmes qui se suicident avec une arme. La balle avait pénétré de face, alors qu'elle était assise dans le fauteuil, sa main conservait des traces de poudre et l'arme portait ses empreintes, celle du pouce sur la détente ce qui était cohérent avec la blessure.

– Elle savait se servir d'une arme ?

– Son mari lui avait enseigné les bases, et elle avait fait un peu de tir pour se familiariser, mais ce n'était pas une passion chez elle.

– Leurs relations ?

– Selon les voisins et les amis, le couple s'entendait bien. J'ai creusé de son côté à lui sans découvrir de maîtresse. Il voyait bien une prostituée de temps en temps mais apparemment, c'était juste une indic comme on en a tous.

Monnier hocha la tête. Oui, ils avaient tous des relations avec des personnages plus ou moins fréquentables.

– Et de son côté à elle ?

– Chou blanc également. Rien à déclarer. Bonne mère de famille, bonne professionnelle : elle était infirmière, bien notée, ponctuelle, sérieuse. Une vie sans histoire. Pas de liaison apparente et ce n'est pas faute d'avoir cherché.

– Et pourtant, il y a ça.

Monnier désignait les photos et la culotte.

– Le nom de Kervalec n'est pas apparu au cours de l'enquête ?

– Pas une seule fois.

– Donc, si je comprends bien, on a un suicide qui a toutes les apparences du suicide, pas de motif évident ni de mobile pour le mari. Mais vous pensez que cette version ne correspond pas à la réalité ?

– Bien résumé. Ce suicide sent mauvais. Le « proc » a refusé de me suivre mais si cela n'avait tenu qu'à moi, on aurait bouclé le mari et on l'aurait travaillé jusqu'à ce qu'il crache tout ce qu'il savait.

Monnier ne dit rien. Malgré tous les progrès de la police scientifique, le fond du travail de flic reposait toujours sur les deux mêmes piliers : l'obstination et le flair. Bien des affaires avaient été résolues, malgré des carences dans les résultats scientifiques, simplement parce qu'un flic avait suivi son intime conviction dans la direction que son intuition lui avait suggérée.

Dans le cas du suicide d'Alexandra Brémont, il ignorait si Planchet avait raison ou s'il se fourvoyait complètement. Mais la mort de Kervalec, qui ne s'était pas suicidé, lui, apportait un rebondissement justifiant que l'on s'intéresse à nouveau à ce qui s'était passé un an auparavant. Les pièces à conviction découvertes chez lui renvoyaient bien directement au couple Brémont !

Monnier tapota pensivement les photos, puis son regard se promena sur les cartons contenant les documents de Kervalec. Il allait continuer à tout éplucher, même s'il savait qu'il tenait déjà des éléments suffisamment significatifs pour faire plonger Brémont pour le meurtre du garagiste, et pour remonter un an en arrière et rouvrir éventuellement l'enquête sur le prétendu « suicide » de sa femme.

Chapitre Huit

De retour à Cabourg, le commandant Monnier prit soin d'exposer devant Vincent les documents ramenés de Nanterre, avec la solennité d'un joueur de poker abattant son brelan gagnant.

– Vous reconnaissez ces factures ?

Vincent se pencha et les examina.

– Non, je ne les ai jamais vues.

– Ce sont pourtant des factures établies à votre nom par le garage Kervalec.

Vincent haussa les épaules.

– Elles ne sont pas à mon nom mais à celui de ma femme. Ce sont probablement des factures de vidange pour sa voiture.

– Et vous ne connaissez pas le garagiste qui s'occupe de vos vidanges ?

– C'était sa voiture ! Elle s'en occupait elle-même. J'ignorais qui lui en faisait l'entretien.

– Yvon Kervalec, le garagiste, ça ne vous dit rien non plus ?

– Rien du tout.

– Curieux, parce que j'ai là un procès-verbal datant de mars 1990, procès-verbal que vous avez signé, relatif à l'interrogatoire de ce Kervalec, et à son arrestation pour recel.

Vincent tendit la main et Monnier lui donna le papier qu'il venait de sortir d'une chemise. C'était une photocopie, mais il n'y avait pas à s'y tromper. Apparemment, Vincent avait arrêté ce type avec Michel, près de vingt ans auparavant.

– OK, concéda-t-il. Je l'ai rencontré. C'est écrit là. Mais je suis désolé, cela ne me rappelle rien. J'aimerais pouvoir vous aider, mais des arrestations, j'en ai fait tellement depuis vingt ans…, et celle-ci ne me dit rien.

Le commandant Monnier soupira.

– Bien sûr. Mais c'est dommage. Voilà un type qui vient se faire tuer à deux cents kilomètres de chez lui, sur votre paillasson, avec votre adresse dans la poche, et que vous dites ne pas connaî-tre ! Sauf que votre femme fait entretenir sa voiture chez lui, qu'il habite à quelques rues de chez vous à Nanterre et que vous l'avez arrêté jadis.

– Il a été condamné, à l'époque ?

– Non.

– Donc, c'est qu'on a dû le relâcher. Ce ne devait pas être bien important. Rien d'anormal à ce que j'aie oublié son existence.

– Un receleur qui vit dans votre périmètre...

– Je travaille à la PJ de Paris, ce n'est pas dans mon périmètre de compétence.

– Admettons. Mais puisqu'on en est à admettre pas mal de choses, reconnaissez que votre situation n'est pas claire.

Vincent fixa le commandant en hochant la tête. Depuis leur rencontre, c'était la première fois qu'il était entièrement d'accord avec ce que disait son interlocuteur.

Le commandant Monnier ouvrit un tiroir et en sortit un sac en plastique.

– Vous connaissez ?

Vincent prit le sac dans lequel se trouvait le string de dentelle maculé de cambouis. Le regard perplexe qu'il adressa à

Monnier n'avait rien de simulé. Où diable, le commandant voulait-il en venir ?

– Ce n'est pas à moi, dit-il.

– Je m'en doute. Aucune idée de la personne à qui il peut appartenir ?

– Je crois qu'aujourd'hui une femme sur deux ou trois porte ce genre de culotte, je ne vois pas le rapport avec notre affaire.

– Et ça, vous connaissez ?

Vincent retourna les quatre photos que Monnier venait de balancer sur le bureau. Par contre, celles-ci, il les reconnut tout de suite. C'était lui qui les avait prises sur la plage, à quelques kilomètres de ce commissariat. Sur le reste de la pellicule, Alexandra jouait avec sa fille, et lui-même apparaissait sur quelques clichés.

– C'est ma femme. Comment les avez-vous eues ?

– Est-ce que vous savez d'où proviennent ces photos ?

– C'est moi qui les ai prises, ici, il y a trois ou quatre ans.

Le commandant eut un geste circulaire du doigt montrant les différentes pièces à conviction étalées sur son bureau.

– Tout ce qui se trouve là provient du même endroit : du garage d'Yvon Kervalec. Kervalec, vous vous souvenez ? L'homme dont vous dites tout ignorer. Celui dont on a retrouvé le cadavre à vos pieds. Apparemment, il connaissait bien votre femme.

Vincent avait du mal à suivre ; il n'entendait déjà plus ce que l'autre lui disait. Il ne voyait que les photos d'Alexandra, les photos du temps où ils étaient heureux. Et cette culotte... Elle en avait possédé une dizaine comme celle-ci, de différentes couleurs. À n'en pas douter, le string lui appartenait. Comme ces photos qui auraient dû se trouver chez eux. Qu'est-ce qu'elles faisaient chez ce garagiste ?

Se pouvait-il que lui et Alexandra... ? Non, c'était absurde !

Mais combien de fois avait-il rencontré des situations extravagantes au cours de ses enquêtes ? Combien de couples improbables avaient surgi au détour de ses investigations ?

Alexandra et Kervalec... Impensable !

Il revoyait le cadavre de cet homme sur le trottoir, avec son costume à trois sous, sa barbe de deux jours. Combien mesurait-il ? Un mètre soixante ? Un mètre soixante-cinq ? Alexandra mesurait un mètre soixante-quinze. Elle était soignée, raffinée... Ce type avait les mains noires de crasse, les ongles pleins de cambouis... Quant à sa culture, elle devait se limiter à *Paris-Turf* pour la lecture, et à la série des « Taxi » pour le Septième art. Quels points communs pouvait-il bien avoir avec une femme de la classe d'Alexandra ?

Mais combien de fois Vincent avait-il croisé le chemin de femmes apparemment raffinées qui cherchaient justement à s'encanailler auprès d'individus qui n'étaient pas de leur condition ? Combien d'entre elles cherchaient l'humiliation dans une relation avec un homme que tout aurait dû les amener à ignorer ?

La connaissait-il donc si peu ? Faisait-elle partie de cette catégorie de femmes ?

– Alors, qu'est-ce que vous avez à me dire ?

La question de Monnier le ramena brutalement à la réalité, et il repoussa les pièces à conviction au milieu du bureau.

– Rien.

– Rien ? C'est un peu court.

– Qu'est-ce que vous voulez que je vous dise ? J'ignore ce que ces photos faisaient là. Peut-être Kervalec les a-t-il volées chez moi ?

– Vous avez été cambriolé ?

Vincent hésita. Mentir ne servirait à rien. Et il avait un système d'alarme. On n'aurait pas pu pénétrer chez lui sans qu'il en soit averti.

– Non, concéda-t-il.

– Est-ce qu'il y en avait d'autres ?

– D'autres quoi ?

– D'autres photos. Prises par vous ou par Kervalec. Est-ce que c'était ce qu'il venait vous apporter le soir de sa mort ?

– J'ignore ce que Kervalec pouvait bien me vouloir. Je vous dis que je ne le connaissais pas.

– Est-ce qu'il vous faisait chanter ?

– Premièrement, il n'y a rien là pour me faire chanter. Des photos d'une femme, les seins nus sur une plage, tout le monde en fait, tout le monde en a. En 1930, cela pouvait constituer un motif de chantage, aujourd'hui, c'est une aimable plaisanterie. À Paris, en tout cas. Mais même ici, je suppose que cela ne dérangerait pas les foules. Votre femme ne bronze jamais les seins nus sur la plage ?

– Ce n'est pas de ma femme qu'il s'agit. Et ma question reste pertinente pour le cas où il y aurait eu d'autres photos plus compromettantes. Est-ce que Kervalec vous faisait chanter, et est-ce que vous l'avez tué ? Si vous l'avez tué pour protéger le souvenir de votre femme, le juge saura se montrer clément. Vous avez une fille encore jeune, le tribunal comprendra que vous ayez voulu lui éviter que la mémoire de sa mère soit salie. Je suppose que la découverte de sa mort l'a suffisamment traumatisée, on pourra admettre que vous ayez voulu lui épargner un nouveau choc et la honte qui va avec.

– Kervalec ne me faisait pas chanter et je ne l'ai pas tué. Écoutez, je suis de la maison, j'en connais toutes les ficelles. S'il m'avait fait chanter et si j'avais décidé de le tuer, je n'aurais pas fait ça à deux cents mètres de chez moi en laissant mon adresse dans sa poche !

Monnier opina. Vincent savait qu'il marchait sur un fil à cet instant. Les pièces réunies sur la table constituaient un faisceau de présomptions suffisant pour caractériser un mobile. Et dès lors qu'on tient le mobile, la culpabilité n'est pas loin. Si Monnier décidait de le placer en garde à vue, il aurait beaucoup de mal à s'en sortir.

– Qu'est-ce que vous feriez à ma place ? demanda finalement le commandant.

– Je serais bien emmerdé.

– Le mot est faible. J'ai devant moi une victime, et un témoin. Tout indique que ce témoin est lié à la victime, donc qu'il en sait plus qu'il ne veut bien le dire.

– Je vous assure…

Le commandant leva la main devant lui pour le faire taire.

– Avec un client normal, la question serait vite réglée : garde à vue, interrogatoire non stop, pressions…, jusqu'à ce que le prévenu craque. Vous connaissez, je suppose ?

Oui, Vincent connaissait. La méthode avait fait ses preuves, sauf que lorsque le prévenu était innocent, c'était du temps perdu pour tout le monde et une fâcheuse expérience pour l'intéressé.

– Vous n'avez rien contre moi. Rien de sérieux en tout cas, et un bon avocat démonterait tout ça en trois minutes.

– Exact. Et de plus, vous êtes flic. Vous connaissez la musique. Pour l'instant, votre garde à vue ne pourrait nous apporter que des ennuis, avec le risque d'une mauvaise presse.

Vincent se détendit imperceptiblement en comprenant qu'il allait y échapper cette fois encore.

– Vos vacances se terminent, si j'ai bien compris ?

– Je comptais rentrer ce soir. Je reprends du service lundi matin.

– Oui, j'ai parlé au commissaire Castelan. Il m'a dit qu'il avait une bonne opinion de vous. Apparemment, votre alcoolisme n'a pas encore réussi à bousiller toutes vos facultés mentales.

Vincent ressentit péniblement l'allusion mais fit mine de l'ignorer. Qu'est-ce que ce petit flic du fond de sa province pouvait bien connaître de ses problèmes ? Le commandant Monnier n'attendait d'ailleurs pas de réponse et poursuivit :

– Son avis est que vous n'avez rien à voir là-dedans. Ce n'est pas le mien. Mais il pense que si je vous autorise à rentrer à Paris, il y a peu de risques que vous disparaissiez.

– Commandant, j'ai une fille de douze ans, je ne peux pas me permettre de prendre la route et de filer.

– Cela se serait déjà vu. Mais bon, j'admets que dans votre cas, c'est peu probable.

– Je peux donc rentrer chez moi ?

– Vous pouvez. Vous connaissez la formule habituelle : vous demeurez à disposition de la justice, etc.

Vincent opina.

– Pas de problème. Croyez-moi, j'ai autant envie que vous de savoir ce qui s'est passé, et ce que ce type faisait avec mon adresse dans la poche. Sans parler de ce que vous avez trouvé chez lui. J'aimerais comprendre.

Monnier hocha la tête, dubitatif. Ils se quittèrent à nouveau sans se serrer la main.

À l'extérieur du commissariat, Vincent soupira de soulagement. Pendant un instant, il avait vraiment cru qu'il terminerait la journée dans une cellule en attendant son transfert à la maison d'arrêt la plus proche. Cela faisait du bien de respirer librement... Il leva les yeux vers un ciel sans nuages. La journée serait belle... Puis il prit le chemin du retour, revivant les moments précédents, cherchant à s'y retrouver parmi les incroyables révélations de Monnier. Alexandra connaissait la victime. Et lui-même l'avait connue autrefois.

Il n'avait pas voulu abonder trop fortement dans le sens du commandant – ce dernier n'avait pas besoin de ça pour le soupçonner – mais il était évident qu'un lien existait entre Kervalec et lui. Qu'est-ce que la culotte d'Alexandra et ces photos faisaient dans ce garage ? Il refusait de croire à la culpabilité de son épouse. Elle était trop droite pour ça. Elle lui aurait avoué, l'aurait quitté... Mais elle s'était bien suicidée alors que rien ne le laissait prévoir.

La présence de cette culotte chez le garagiste pouvait peut-être s'expliquer. Kervalec avait l'adresse d'Alexandra pour ses factures ; s'il s'était mis à fantasmer sur elle, il n'aurait eu aucun mal à venir rôder autour de chez eux. De là à dérober une culotte sur une corde à linge, il n'y avait qu'un pas que nombre de fétichistes franchissent allégrement chaque jour.

Mais les photos... Ces photos que lui-même avait prises et qui devaient – qui auraient dû – rester avec les autres dans un carton à chaussures au bas de l'armoire de leur chambre... Comment expliquer leur présence entre les mains de Kervalec si Alexandra ne les lui avait pas elle-même données ?

Et à qui une femme offre-t-elle des photos d'elle nue, sinon à son amant ?

Alexandra et Yvon Kervalec, amants ?

Non, il ne pouvait pas y croire.

Mais le commandant Monnier n'aurait pas de tels scrupules ; pour lui ces indices constitueraient les éléments sur lesquels étayer une « intime conviction » selon la formule consacrée. Un an auparavant, à Nanterre, le commandant Planchet avait été persuadé que Vincent avait tué Alexandra. Cette année, il aurait droit à endosser la responsabilité de la mort de Kervalec. Et le fait qu'il ait été le premier témoin sur les lieux du meurtre n'arrangeait rien. Dans un cas similaire, Vincent aurait collé au trou le témoin récalcitrant jusqu'à ce qu'il crache tout ce qu'il savait.

Le principal problème était qu'il ne savait rien.

Un autre problème le menaçait. Ou bien on ne dispose d'aucun suspect et on ratisse aussi large que possible afin de voir ce que l'on peut rapporter. Ou bien un suspect se dégage immédiatement, et on a alors tendance à ne se concentrer que sur lui, quitte à négliger d'autres pistes moins prometteuses. C'est humain !

Monnier allait donc se concentrer sur lui. En fait, c'était déjà le cas. Il ne le lâcherait pas tant qu'il ne l'aurait pas persuadé de son innocence. Or le vrai coupable n'avait aucun intérêt à se dévoiler.

Vincent récupéra sa voiture. Il allait précipiter son retour pour parler au plus vite à Michel, lui expliquer la situation et lui demander conseil. Faute de quoi, il risquait de passer les dix prochaines années de sa vie derrière les barreaux.

Chapitre Neuf

Vincent retrouva son ami à son domicile, installé dans son salon, impeccable comme toujours, à l'image du personnage : soigné, ordonné...

Même dans sa tenue vestimentaire, Michel Messac faisait preuve d'un maintien surprenant pour un célibataire. Ses chemises étaient toujours parfaitement repassées, de même que les plis de ses pantalons. Vincent ne lui connaissait aucune liaison et ne l'avait que rarement vu en galante compagnie depuis son douloureux divorce, une quinzaine d'années auparavant. S'il l'avait moins bien connu, il aurait pu le croire homosexuel, mais cela ne cadrait pas avec le personnage. Non, Michel était simplement quelqu'un qui prenait soin de lui, qui ne se laissait pas aller, comme peuvent le faire d'autres retraités. Et il tenait sa maison aussi bien que lui-même.

Michel se servit une nouvelle bière et proposa un whisky à Vincent, avant de se rasseoir.

– Tu te rends compte que tu me demandes de me souvenir d'une arrestation qui remonte à vingt ans ? On aurait serré ta victime, Yvon Kervalec ? Le nom me dit vaguement quelque chose.

Il se laissa aller dans son fauteuil, fermant les yeux pour mieux réfléchir.

Vincent n'avait pas attendu longtemps pour prendre conseil auprès de lui. Dès leur retour à Nanterre, alors que Julia reprenait possession de son univers, il avait enjambé la petite clôture séparant leurs jardins pour venir chercher de l'aide chez son ami et mentor, et le mettre au courant des derniers rebondissements. L'ex-officier de police Michel Messac, retraité depuis peu mais l'esprit toujours aussi vif, avait écouté son histoire sans l'interrompre. Il n'avait émis qu'un seul commentaire lorsque Vincent avait terminé : « Tu es dans une sacrée merde ! »

Cela, Vincent le savait déjà.

– Il va falloir jouer serré, avait pour-
suivi Michel. Ces gars-là ne te feront pas
de cadeau. Souviens-toi de ce qui m'est
arrivé...

L'histoire était encore présente dans
la mémoire de Vincent. À l'époque,
Michel avait été accusé de toucher de
l'argent sur un trafic. Malgré ses
dénégations, l'IGS avait préféré croire
les déclarations de l'indic qui l'avait
dénoncé. Vincent lui-même avait été
soupçonné et sérieusement travaillé par
les bœuf-carottes pendant plusieurs
jours, mais rien n'avait été retenu
contre lui et il avait conservé son poste.
Michel, lui, avait été contraint de
démissionner.

– S'ils s'en prennent à toi, ils ne te
lâcheront pas.

– Mais bon sang, je n'ai rien fait !

– Moi non plus, je n'avais rien fait. Et
regarde où je me suis retrouvé.

Cette perspective inquiétait sérieusement Vincent. Que ferait-il s'il était
chassé de la police ? Les enquêtes, la
lutte contre les malfaiteurs de tous poils,
remplissaient sa vie encore plus depuis
la mort de sa femme.

Pire, s'il était exclu de la police c'est qu'il aurait été accusé de meurtre et mis en prison !

– Je n'ai vraiment pas envie d'en arriver là, constata-t-il. C'est pourquoi je dois trouver tout ce qui me relie à ce type. Et apparemment, la première fois que nos chemins se sont croisés, c'était en 1990, quand nous l'avons arrêté.

– Yvon Kervalec, garagiste, murmura Michel sans ouvrir les yeux. Ça me revient maintenant. On l'a arrêté pour recel dans le cadre de l'affaire Baretti.

Baretti. François Baretti : soupçonné d'avoir abattu Lucien Diforzo dans un bar de Pigalle, milieu corse, trafics divers, guerre des gangs. Dans le lot de ces arrestations en série, on retrouve un petit garagiste soupçonné de recel : Yvon Kervalec. Vincent s'en souvenait à présent.

– Qu'est-ce qu'il est devenu ?

– Baretti a pris dix ans. Il a dû sortir quatre ou cinq ans plus tard.

– Non, je me fous de Baretti. Qu'est-ce qu'on a fait de Kervalec ensuite ?

Michel rouvrit les yeux.

– Aucune idée. Je crois qu'on l'a relâché après qu'il nous ait balancé quelqu'un de plus gros, à moins qu'on ait laissé tomber faute de preuves contre lui.

Vincent grimaça.

– Ça ne nous avance pas à grand-chose.

– Au contraire, on sait maintenant qu'il n'y avait aucun lien entre lui et toi. Donc, c'est du côté de ta femme qu'il faut creuser.

– Alexandra ?

Prononcer son nom était aussi douloureux qu'un coup de couteau en plein cœur. Vincent serra les dents mais Michel le connaissait trop pour ne rien remarquer.

– Elle te manque toujours autant.

Vincent haussa les épaules. Sa voix lui fit défaut pour répondre. Dire qu'Alexandra lui manquait était comme de demander à quelqu'un qui se noie s'il a besoin d'oxygène. Mariés depuis près de quinze ans, ils étaient toujours amoureux comme au premier jour et ne pouvaient imaginer leur vie l'un sans l'autre. C'était du moins ce qu'il croyait.

Jusqu'à ce qu'elle se suicide et le mette devant l'évidence pénible qu'elle n'envisageait plus la vie avec lui.

Michel se leva et vint poser la main sur son épaule.

– Je suis désolé, dit-il, si je t'ai fait de la peine en te disant cela.

– Pas tant que moi.

Il s'assit à ses côtés et Vincent lui en fut reconnaissant. Ainsi n'aurait-il plus à le regarder en face et à contenir ses larmes. Un homme ne pleure pas. Mais il n'avait plus le sentiment d'être un homme depuis qu'Alexandra l'avait abandonné. En se tuant, elle l'avait amputé de la moitié de lui-même. Il n'était plus que l'ombre de lui-même.

Il prit la bouteille de whisky que Michel avait posée sur la table et remplit à nouveau son verre. Son ami ne dit rien, le laissant avaler une ample gorgée avant de reprendre leur conversation :

– Ce commandant Monnier va tenter de te faire porter le chapeau.

– J'en ai conscience, crois-moi.

– Et il est à Cabourg, loin d'ici. Il va devoir se contenter de ce qu'il a sur place, pour ainsi dire rien, et de ce qu'il a trouvé dans sa perquise chez Kervalec, c'est-à-dire juste des documents qui paraissent t'incriminer ou du moins confirmer l'existence d'un lien entre la victime et toi.

Vincent opina.

– Tu l'as dit : je suis dans la merde.

– Et surtout, tu n'as pas le choix.

– Qu'est-ce que tu veux dire ?

– L'enquête est menée en province par un flic hostile, et tu as le cul sur la cible. Tu ne peux pas compter sur lui. Tu vas devoir prouver ton innocence tout seul.

– Mais je n'ai pas le droit d'intervenir, je...

– Tu préfères attendre qu'on te convoque chez un juge pour te signifier ton inculpation ? Qu'est-ce que tu feras du fond d'une cellule ? Tu dois agir, et agir vite.

– Qu'est-ce que tu suggères ?

– Tu connais les méthodes : collecte d'informations, interrogatoire des témoins.

Vincent reprit une rasade de whisky qu'il ingurgitait sans y prêter attention. S'il se faisait prendre à mener une enquête parallèle, cela lui coûterait un maximum. Mais Michel avait raison. S'il ne se remuait pas, personne ne le ferait pour lui, et c'est derrière les barreaux qu'il regretterait alors les conséquences de son inaction.

– Ok, dit-il, tu as raison. Qu'est-ce que tu proposes ?

– On n'a pas trente-six pistes. Il faut commencer par interroger la veuve.

– Monnier l'a déjà fait.

– Monnier ne cherchait qu'à t'incriminer. Toi, tu vas chercher tout ce qui peut te conduire sur une autre voie.

Vincent hochait la tête au fur et à mesure que la sagesse de ces recommandations parvenait jusqu'à son cerveau embrumé d'alcool.

– Je t'accompagnerai, décida soudain Michel.

– Non, je ne peux pas te demander ça. Si ça tourne mal, si je suis pris…

– C'est justement pour éviter que ça tourne mal que je me propose de t'aider. Excuse-moi, mais ton niveau d'imprégnation d'alcool est arrivé à un point tel que tu es parfois incohérent. Je crois qu'il vaut mieux que quelqu'un de sobre t'accompagne pour mener à bien cette recherche et pour t'aider à te contrôler, en quelque sorte.

Vincent dut reconnaître le bon sens de son ami. Cette affaire allait demander beaucoup de doigté. Mener une enquête parallèle risquait de contrarier sa hiérarchie si elle venait à le savoir. Mieux valait pour lui disposer d'un garde-fou.

– Et puis, conclut Michel, l'inaction commence à me peser. Ça me fera du bien de reprendre le collier, même en amateur. Allez, courage, on va te sortir de là...

Vincent aurait aimé partager son enthousiasme. Il leva son verre pour trinquer à cette perspective et vit qu'il était vide. Il le remplit à nouveau.

– À notre équipe, dit-il en le levant, à sa reformation, et à ses suc... succès.

Chapitre Dix

Vincent rentra chez lui tard, ce soir-là. Il s'assura que sa fille était couchée. Comme à chaque retour de vacances, les placards de la cuisine étaient vides. Dans la poubelle, un carton de pizza surgelée indiquait que Julia avait déjà fait une descente dans le congélateur. Bien. Il aurait dû en faire autant, mais une pizza à cette heure tardive ne lui disait rien.

Il passa dans le salon, ouvrit le bar et se servit un grand verre de whisky. D'une démarche hésitante, il vint le poser sur la table basse. Au moment de s'asseoir, il se ravisa et repartit chercher la bouteille, puis se laissa tomber dans le canapé. Il avait besoin de réfléchir.

Il fit tournoyer le liquide ambré qu'il fixa comme pour s'hypnotiser. Michel avait raison. Il devait enquêter de son côté. Il devait comprendre pourquoi

Yvon Kervalec avait son adresse dans sa poche, pourquoi il avait été tué à deux pas de chez lui. Et alors seulement, il découvrirait peut-être pourquoi Alexandra s'était suicidée, et quelle avait pu être la nature de ses rapports avec Kervalec ?

Dès lundi matin, quand il reprendrait son service, il ferait cracher à son écran d'ordinateur tout ce qu'il savait sur le garagiste. Mais il était peu probable que les fichiers le renseignent aussi sur ce qui s'était passé entre lui et sa femme. Pour ça, il devrait enquêter en direct, auprès de ceux et celles qui avaient connu Alexandra.

– Muriel, murmura-t-il.

La perspective de la revoir ne l'enchantait pas. Elle le détestait cordialement. Mais elle avait été la meilleure amie et la confidente d'Alexandra, et si quelqu'un savait quelque chose d'une éventuelle relation extraconjugale, c'était bien elle. À condition qu'elle veuille bien parler.

Ce qui lui promettait une partie de plaisir.

Il se resservit un verre.

Le lendemain matin, Julia se leva et découvrit son père vautré sur le canapé du salon, encore habillé et ronflant comme un sonneur. Un verre et une bouteille de whisky vides traînaient sur la table à portée de sa main. L'enfant prit un plaid sur un fauteuil voisin et vint le recouvrir. Puis elle ramassa la bouteille et le verre et les emporta dans la cuisine. La vie reprenait son cours normal.

Chapitre Onze

Vincent s'était réveillé la bouche pâteuse vers midi, était passé sous la douche pour essayer de s'éclaircir les idées, avant de prendre un grand café noir qui avait eu un peu plus d'effet. Les placards de la cuisine étaient toujours aussi vides, et il était un peu tard pour faire les courses. Il avait donc emmené sa fille au restaurant, cédant cette fois à ses caprices en optant pour le Mac Donald le plus proche. Il détestait ça, mais son palais engourdi par l'alcool ingurgité jusqu'à tard dans la nuit ne lui aurait pas permis d'apprécier une cuisine plus raffinée. Autant alors faire plaisir à sa fille. Il prit la même chose que Julia et se força à tout manger. La nourriture lui fit du bien et le Coca chassa les résidus d'alcool. Quand ils se levèrent de table, il se sentait nettement mieux. Ils rentrèrent à la maison et il prit le temps de se raser avant de rejoindre son ex-chef et ami pour l'embarquer dans leur expédition chez la veuve de Kervalec.

Ils déboulèrent chez elle en plein milieu d'après-midi. La femme qui leur ouvrit correspondait exactement à l'image que Vincent s'était faite de l'épouse du garagiste receleur. Il lui brandit sa carte tricolore sous le nez, gardant le pouce sur son nom au cas où ses collègues lui auraient mentionné son identité.

– Nous venons pour parler de votre mari, dit-il.

Elle jeta un coup d'œil à Michel qui l'accompagnait et n'avait pas brandi de carte – et pour cause – et recula dans l'appartement d'un air craintif.

– Je ne sais rien, dit-elle.

– Vous n'avez rien à craindre, tenta de la rassurer Vincent, nous cherchons juste à comprendre certaines choses.

Elle haussa les épaules et ils la suivirent dans le salon.

Un gamin ouvrit une porte dans le couloir et passa la tête pour regarder ce qui se passait. Les apercevant, il s'empressa de la refermer aussitôt.

La femme se tenait debout dans la salle à manger, appuyée sur le dossier d'une chaise de l'autre côté de la table encombrée de journaux et d'une boîte d'où émergeait un nécessaire de couture. Dans un coin, une vieille télé débitait de l'interview de complaisance. Elle baissa le son et jeta la télécommande sur un canapé qui avait connu des jours meilleurs.

– Ce ne sera pas long, dit Vincent avec un sourire. Nous pouvons nous asseoir ?

Elle haussa à nouveau les épaules et se laissa tomber sur la chaise qui la soutenait, comme si elle n'était pas chez elle mais dans un commissariat.

Les deux hommes s'assirent à leur tour. Vincent posa les mains sur la table et se pencha vers elle en une attitude qu'il voulait amicale, tandis que Michel demeurait droit sur sa chaise, à la regarder.

– Nous voudrions que vous nous parliez de votre mari, dit Vincent. Nous cherchons à comprendre pourquoi il a été tué et par qui.

Elle jeta un regard furtif à Michel avant de lui répondre :

– Je ne sais rien. Il ne me parlait pas de ses affaires. Et puis, il sortait de prison, on n'a pas eu beaucoup l'occasion de causer depuis un an.

– Il était en prison pour recel ? Qu'est-ce qu'il avait recélé ?

– Vous devez le savoir, c'est dans son dossier.

– Je suis nouveau sur l'affaire, je n'ai pas encore eu l'occasion de l'étudier. Faites comme si je ne savais rien. Et désolé si nos collègues vous ont déjà posé les mêmes questions.

– Des voitures. Trois voitures. Il n'a pas voulu dire de qui il les tenait. Et comme c'était pas la première fois...

Si Kervalec n'avait pas voulu dénoncer ses complices, la piste du seul règlement de compte devenait caduque.

– Vous avez une idée de qui pouvait lui en vouloir au point de le tuer ?

Elle jeta un nouveau regard inquiet en direction de Michel, comme surprise par son silence et son immobilité, avant de répondre.

– Aucune, sinon je l'aurais dit à vos collègues.

– Bien sûr. Mais cherchez bien dans votre mémoire. Un vieux différend, une affaire qui aurait mal tourné, un complice qui aurait eu des raisons de se croire doublé…

– Je vous dis que j'sais pas ! Yvon maquillait peut-être une voiture de temps en temps, mais c'était pas un gangster.

– On a pourtant retrouvé une arme chez vous.

– Je savais pas qu'elle était là.

– Possible, mais il avait cette arme dans ses affaires. Il se sentait menacé ?

Elle eut une grimace qui pouvait passer pour un oui ou pour un non, plus vraisemblablement pour un « j'sais pas ».

– Et en prison, il s'était fait de nouveaux copains ?

– Comment vous voulez que je sache ? Faudrait demander aux gardiens, c'est un peu vos collègues, non ?

Vincent n'apprendrait rien d'elle. Si elle savait quelque chose, elle demeurait fermée comme une huître et ne ferait rien pour les aider. Il décida qu'il était temps de passer à la question qui l'intéressait vraiment. Il avait suffisamment fait diversion jusque-là pour que cette femme ne comprenne pas qu'il s'agissait enfin du vrai problème le concernant.

– On a trouvé une culotte et des photos d'une femme dans le bureau de votre mari. Vous savez d'où elles proviennent ?

– Vous croyez qu'il me parlait de ça ?

– Vous pensez qu'il avait une liaison avec cette femme ?

– C'est possible, qu'est-ce que j'en sais ? Faudrait peut-être interroger le mari, si elle était la maîtresse d'Yvon ça fait un bon mobile, non ?

– On s'en occupe, madame, on s'en occupe. Mais vous, vous n'avez jamais vu cette femme ?

– Je sors pas beaucoup.

Vincent promena son regard sur le capharnaüm qui l'entourait. Le fait qu'elle ne sorte pas de chez elle ne s'expliquait certainement pas par sa passion du ménage.

– Votre mari avait des maîtresses ?

Elle haussa à nouveau les épaules.

– J'y ai jamais demandé.

Vincent comprit qu'il ne tirerait rien d'elle. Sur aucun point. Elle ne souhaitait pas collaborer et, même si elle savait quelque chose, elle le garderait pour elle. Cette démarche avait été inutile. Il sortit un calepin de sa poche.

– Bien, une dernière précision et nous vous laisserons tranquille. Je voudrais quelques noms.

– Des noms ? Des noms de quoi ?

– Ses copains, le bistrot qu'il fréquentait…

– J' suis pas une donneuse.

Vincent soupira.

– Je ne vous demande pas de dénoncer quelqu'un, je veux juste des noms de personnes qui le connaissaient et à qui il aurait pu parler, raconter des choses qu'il ne vous aurait pas dites à vous…

– Il fréquentait personne. Juste les gars qui travaillaient avec lui au garage. Mais j'ai pas leurs adresses, c'est vos collègues qui ont emporté tous les papiers.

Bien sûr. Elle ne connaissait pas les employés de son mari, qu'elle devait fréquenter depuis une bonne vingtaine d'années. Vincent renonça.

– Et son bistrot préféré ?

– Des fois, il allait au Catalan, c'est au coin de la rue.

Un bistrot qu'ils auraient visité de toute façon. On ne pouvait pas dire que la veuve Kervalec se montrait disposée à coopérer.

– Vous savez pourquoi nous sommes ici ? demanda soudain Vincent.

Elle leur jeta à tous les deux un regard effrayé, comme si la conversation venait de prendre un tour nouveau.

– N... Non, pourquoi ?

– Parce que votre mari est mort et que nous essayons de découvrir qui l'a tué, martela Vincent. Mais j'ai l'impression que vous vous en fichez et que vous n'avez pas envie qu'on arrête l'assassin !

– J'sais rien, qu'est-ce que vous voulez que je vous dise ? Faites votre boulot et venez pas emmerder les honnêtes gens chez eux ! Je suis veuve, bon Dieu ! Vous pourriez faire preuve d'un peu plus de respect pour mon deuil !

Vincent se leva. C'en était plus qu'il ne pouvait supporter. Michel l'imita aussitôt.

– Excusez-nous de vous avoir dérangée, dit Vincent. Nous allons vous laisser.

Ils quittèrent la pièce, abandonnant cette femme à son mutisme. Au dernier moment, Michel se retourna :

– Surtout, si quelque chose vous revient...

– J'sais rien. Je peux rien dire.

Il hocha la tête.

– Si vous le dites... En tout cas, souvenez-vous que nous ne sommes pas loin.

Elle les raccompagna jusqu'à la porte.

– J'sais rien, répéta-t-elle une dernière fois en refermant derrière eux.

Les deux hommes firent quelques pas dans la rue, en direction du Catalan dont l'enseigne se découpait au carrefour.

– Cette garce ne veut rien dire ! maugréa Vincent.

– Elle ne sait peut-être rien.

– Si, elle sait quelque chose. Mais elle est terrifiée.

– Cela ne veut pas dire qu'elle sait quelque chose. Son mari s'est fait descendre. Soit elle connaît l'assassin et a peur de lui, mais le livrer à la police lui permettrait d'échapper à la menace. Soit elle l'ignore et elle est terrifiée à l'idée qu'il revienne ici la flinguer si la mort de Kervalec ne lui a pas suffi.

– On n'est quand même pas à Chicago.

– Ces gens-là vivent à Chicago. Et leurs rapports avec la police sont tels qu'ils ne peuvent envisager de faire appel à elle pour les protéger. D'ailleurs, à supposer qu'elle dénonce le meurtrier si elle le connaît, il va prendre combien ? Dix ans ? Sorti dans six ! Si c'est un vrai méchant du genre revanchard, il prend un taxi à la porte de la Santé et se fait conduire ici. Deux heures plus tard, toute la famille est morte.

– Tu y vas un peu fort, ça ne se passe pas souvent comme ça.

– Mais dans son esprit à elle, c'est ce qui risque d'arriver. Et tu sais très bien que, le cas échéant, le mieux qu'on pourra faire c'est une autopsie. Nous sommes incapables de protéger les témoins sur le long terme. Et elle le sait.

Vincent grommela une réponse inaudible tandis qu'ils arrivaient devant le café où Kervalec avait ses habitudes.

– Fermé, constata-t-il.

– Tu t'attendais à quoi ? On est dimanche.

– Bon, on va tâcher de trouver un bistrot ouvert le dimanche pour s'en jeter un en faisant le point. Je reviendrai ici quand ce sera ouvert et j'en profiterai pour interroger à nouveau la veuve. Elle ne nous a pas dit tout ce qu'elle sait. Il faudra bien qu'elle crache le morceau tôt ou tard.

Mais Vincent ne se berçait pas d'illusions : ils avaient fait chou blanc aujourd'hui, et rien ne disait qu'il aurait plus de chance la fois suivante.

Chapitre Douze

La reprise du travail, le lundi matin, fut assez pénible pour Vincent. Son histoire avait fait le tour de la PJ, et il ne pouvait croiser quelqu'un sans lire dans son regard des interrogations auxquelles il ne pouvait répondre.

Le commissaire Castelan, son supérieur immédiat, avait été plus direct. Il l'avait convoqué dès son arrivée et les deux hommes étaient restés enfermés une demi-heure à discuter de l'affaire. Vincent n'avait aucun problème avec lui. C'était un homme droit et honnête qui l'appréciait, même si, ces derniers temps, il lui avait fait deux ou trois remarques sur l'alcoolisme dans lequel il s'enfonçait. Mais Castelan savait qu'il n'était pas un assassin. Et s'il ne l'avait jamais soupçonné d'avoir tué Alexandra, ce n'était pas pour le suspecter maintenant d'avoir descendu un garagiste inconnu !

Ou presque inconnu. Monnier avait informé Castelan des progrès de l'enquête, et ce dernier n'ignorait rien des indices relevés dans le garage, confirmant l'existence de liens entre Vincent et la victime.

– Donc, tu as arrêté ce type, il y a une vingtaine d'années, et on a trouvé chez lui des photos et des sous-vêtements ayant appartenu à ton épouse ?

Vincent se contenta de hocher la tête, il ne se sentait pas le courage de revenir là-dessus.

– J'ai mis des gens au trou pour moins que ça.

– Je sais. Moi aussi.

– Et Monnier t'a quand même laissé filer ?

– Il savait que je ne pourrais pas aller bien loin avec ma fille. Et puis, il a peut-être connaissance d'un détail que j'ignore.

– Possible. Je vais l'appeler.

– Je ne voudrais pas…

Castelan fit taire ses objections d'un geste de la main.

– Ne t'inquiète pas, je vais faire ça en douceur. Je vais juste l'appeler pour signaler que tu as repris ton poste ce matin, et lui demander si je peux compter sur toi pour les jours qui viennent, ou si tu risques de m'être enlevé du jour au lendemain. Et s'il est d'humeur bavarde, je pourrai peut-être découvrir ce qu'il a dans la manche et quelles sont ses intentions. En attendant, qu'est-ce que tu comptes faire ?

– Enquêter sur ce Kervalec. Je vais reprendre son dossier et voir ce qu'il y a dedans.

– Doucement, hein ? Ne marche pas sur les pieds de Monnier.

– Ne t'inquiète pas, je ne ferai rien qui puisse l'agacer.

– Je compte sur toi. En attendant, rejoins les autres, on va sauter les Gitans.

Vincent regagna la salle principale où toute l'équipe était déjà rassemblée. Une certaine fébrilité avait gagné le groupe. On vérifiait les armes, on étudiait des plans... Bref, on préparait une descente musclée.

– Ah ! Te voilà, fit Gisèle, une petite rousse fluette, et pourtant ceinture noire de karaté et capable de faire mouche à cent mètres. Alors, c'était bien les vacances ?

– En tout cas, elles avaient bien commencé.

– Ouais, intervint Edouard, un grand balaise taillé pour être CRS. Vous échangerez vos souvenirs de plage plus tard. On a du boulot. Les Gitans vont braquer une banque ce matin, à onze heures. On les serre juste après, la main « dans » les sacs. Castelan t'en a parlé ?

– Il m'a juste dit de vous rejoindre et de me préparer.

– Eh bien, équipe-toi vite, mon gars, parce qu'on y va tout de suite.

Vincent vérifia le chargeur de son Glock, hésita un instant avant de ranger l'arme dans son étui de ceinture. On la lui avait rendue après la fin de l'enquête. Il aurait pu l'échanger, mais ne supportait pas l'idée qu'un autre que lui se serve de cette arme avec laquelle sa femme s'était suicidée. Si elle ne pouvait être détruite, qu'au moins il en soit le seul utilisateur. Même si elle avait causé sa mort, il se raccrochait à l'idée qu'elle était l'objet qu'Alexandra

avait eu en main à ses derniers instants.

C'est dans cet état d'esprit qu'il remisa
l'arme dans son étui, comme un talis-
man porté à sa ceinture. Il prit deux
chargeurs supplémentaires et les glissa
dans ses poches. Les Gitans n'étaient pas
du genre à se mettre à genoux en voyant
les flics. La rencontre risquait d'être
chaude !

Chapitre Treize

Vincent faisait équipe avec Gisèle dans une Laguna banalisée, garée à deux cents mètres de la banque. Castelan et les autres étaient regroupés dans divers véhicules disséminés dans les rues avoisinantes. Il était le seul à avoir une vision directe de la banque.

Les truands n'en étaient pas à leur coup d'essai. La brigade en avait dénombré quatre certains et trois probables au cours desquels ils s'étaient déjà fait la main. Mais depuis que leur scénario était au point, ils enchaînaient impunément les braquages au rythme d'un par mois, tous en région parisienne et toujours selon le même mode opératoire : ils volaient deux voitures puissantes, en planquaient une à quelques kilomètres de leur cible, et utilisaient l'autre pour le hold-up, changeant alors de véhicule et se débarrassant du premier en le brûlant. Depuis que les feuilletons télévisés avaient révélé au grand public les moyens scientifiques mis au service des enquêtes policières, les truands avaient compris que brûler un véhicule était le plus sûr moyen d'effacer leurs empreintes.

Cela faisait six mois que Castelan et son équipe surveillaient la bande, après avoir renoncé à tenter de l'infiltrer. Cette option, un temps envisagée, avait dû être abandonnée en raison de la grande méfiance des truands : quatre cousins, se connaissant depuis leur enfance et ne faisant confiance à personne en dehors de leur famille. Paradoxalement, cette entente constituait aussi leur faiblesse. Assurés d'être en bonne compagnie, ils ne prenaient pas de précautions entre eux. La certitude de ne pouvoir être trahis leur donnait un faux sentiment d'invulnérabilité qui les confortait dans leur conviction de pouvoir échapper à la police. À mille lieues de se douter qu'ils faisaient l'objet d'une surveillance étroite, ils n'hésitaient pas à utiliser leurs téléphones portables pour échanger informations et instructions à mots à peine couverts. Et, pour Castelan et son équipe qui les avaient surpris en train de rôder autour de la succursale bancaire depuis trois semaines, les allusions étaient limpides. Aussi, lorsque les quatre cousins avaient volé une BMW et une Mercedes, les policiers avaient vite compris que l'attaque était imminente.

La Mercedes attendait depuis la veille sur le parking d'une gare proche, au milieu d'une centaine de véhicules anonymes. Ce serait leur voiture de repli. Ils se serviraient donc de la BMW pour attaquer la banque !

– Les voilà, souffla Gisèle qui se trouvait au volant de la Laguna.

Une BMW noire passa près d'eux à une allure réduite, tel un requin croisant dans des eaux tranquilles.

Vincent décrocha la radio de bord et avertit le reste de l'équipe que la cible approchait. Gisèle mit le contact et recula, prête à s'engager dans la circulation.

Vincent se contorsionna dans son fauteuil pour adopter une position plus confortable. Son gilet pare-balles le gênait et il s'en serait bien passé, mais Castelan l'aurait aussitôt mis sur la touche.

– On ne bouge pas, ordonna ce dernier dans le haut-parleur de la radio.

Cela ne faisait que confirmer le plan arrêté les jours précédents : laisser le gang procéder au hold-up et coincer tout ce joli monde sur le parking de la gare lors du changement de voiture. En milieu de matinée, ce serait le meilleur endroit et le moment idéal pour les arrêter. Procéder à l'arrestation pendant le hold-up, c'était prendre le risque d'une prise d'otage. Quant à les interpeller avant, c'était leur permettre de jurer durant leur procès qu'ils n'avaient pas l'intention de commettre un quelconque méfait, et qu'ils passaient par hasard devant cette banque à bord d'une voiture empruntée, qu'ils comptaient rendre intacte à son propriétaire quelque temps après. Personne ne serait convaincu par cette défense, mais ils s'en tireraient avec une condamnation de principe.

On visait donc le flagrant délit, seul susceptible de les envoyer à l'ombre pendant quelques années.

– La voiture s'arrête, dit Castelan dans la radio. Un homme reste au volant. Les trois autres descendent. Ils entrent, cagoulés et armés.

Vincent sentit monter l'adrénaline. Cette fois, ils y étaient. Une fois leur coup réussi, les truands avaient trois itinéraires possibles pour gagner leur second véhicule auprès duquel la moitié de la brigade les attendait déjà, mais s'il leur prenait la fantaisie de changer leurs plans, il fallait être prêt à réagir immédiatement. Il leur faudrait alors improviser.

Et ils durent improviser.

– Merde, dit Gisèle.

Vincent releva la tête juste à temps pour voir un fourgon de la Brinks les dépasser. Gisèle avait déjà le micro en main.

– Des convoyeurs de fonds approchent, annonça-t-elle.

Castelan n'hésita pas une demi-seconde.

– Tout le monde en position pour le plan B, dit-il.

Gisèle s'engagea dans la circulation, à cent mètres derrière les transporteurs de fonds. Dans les rues avoisinantes, les deux autres véhicules de la brigade firent de même. Quant à ceux qui stationnaient sur le parking de la gare, ils demeurèrent sur place dans l'attente de nouvelles instructions.

La succursale bancaire se trouvait à la périphérie de la ville, dans un quartier récent. Les immeubles neufs avaient poussé comme des champignons, mais les commerces tardaient à s'implanter et il n'y avait pas d'autre banque à deux kilomètres à la ronde. Les chances pour qu'un convoi de fonds passe par hasard devant celle-ci sans s'y arrêter, étaient inexistantes.

Effectivement, le fourgon s'immobilisa à moins de trois mètres devant la banque, sur l'emplacement qui lui était réservé. Dans la BMW garée à dix mètres de là, le truand au volant s'égosillait dans son portable.

– On les laisse sortir, rappela la voix de Castelan dans le haut-parleur de la radio. Il y a au moins cinq clients là-dedans, plus le personnel.

Gisèle s'arrêta à une cinquantaine de mètres de la banque, manœuvra comme pour se garer en prenant soin de laisser suffisamment de place à Vincent pour qu'il puisse descendre de voiture. Ce dernier sortit son Glock et fit monter une balle dans le canon. Un frisson lui parcourut la nuque et il aurait bien avalé n'importe quoi du moment que cela titrait au moins quarante degrés. Mais il était en mission et, jusqu'à présent, il avait réussi à ne pas boire durant la journée. Ou presque.

Chapitre Quatorze

À l'intérieur de l'agence, les truands avertis par leur chauffeur firent preuve d'un grand sang-froid. Ils dissimulèrent leurs armes et attendirent que les convoyeurs entrent.

Deux agents de la Brinks descendirent du véhicule non sans avoir jeté alentour un regard circonspect. Ils ne remarquèrent rien de suspect. Comme ils venaient chercher des fonds, et non en déposer, ils n'avaient pas encore leurs armes à la main. Sans méfiance, ils franchirent les quelques mètres les séparant de la porte et pénétrèrent dans le sas. Derrière le guichet, un employé pressa le bouton d'ouverture d'un doigt tremblant et les deux convoyeurs entrèrent, inconscients de la menace.

Leur sourire se figea lorsque les deux dernières personnes de la file d'attente se retournèrent vers eux en leur braquant de gros calibres sur le visage.

– Pas un geste, tournez-vous !

Ils obtempérèrent et sentirent qu'on les délestait de leurs armes qui filèrent sur le carrelage jusqu'à un troisième homme qui sortait du bureau du fond, un grand sac de sport dans une main et une Kalachnikov dans l'autre.

Les revolvers rejoignirent le butin dans le sac.

– On s'arrache, dit l'homme qui emportait le magot.

– Attends ! Le fourgon est devant la porte.

– Et alors ? Il ne reste qu'un garde, qu'est-ce que tu veux qu'il fasse ?

– Et si on se faisait le fourgon en même temps ?

Les deux autres n'eurent pas à réfléchir longtemps. Celui qui se trouvait le plus près des deux convoyeurs allongés sur le sol en empoigna un par le col et le remit debout d'une traction. Dans le même temps, il ordonna à son complice :

– Toi, tu restes ici à les surveiller.

L'autre acquiesça, déposa le sac sur le sol près de la porte et se tourna vers les clients et le personnel :

– Vous inquiétez pas, on s'en va dans quelques minutes. Juste une dernière formalité.

Pendant ce temps, les deux autres franchissaient le sas avec leur prisonnier qu'ils jetèrent dehors, et dont le visage alla s'écraser contre la vitre avant du véhicule.

Le chauffeur écarquilla les yeux en voyant son collègue collé au carreau, un 357 Magnum rivé contre le front.

– Ouvre ou on bute tes copains !

L'homme esquissa un mouvement vers le tableau de bord où se trouvait la radio.

– On les bute, je te dis !

Le convoyeur suspendit son geste. Ouvrir allait à l'encontre de tous les règlements, mais le truand maintenait le canon d'un revolver sur la tempe de son collègue et paraissait décidé à s'en servir.

Il fit un signe d'assentiment et se dirigea vers la porte latérale du véhicule. Un cliquetis de serrure et la porte coulissa avec un bruit métallique.

– Jette ton arme.

Le 38 règlementaire atterrit sur le trottoir.

– Bien, maintenant tu prends deux sacs et tu sors avec.

L'homme obtempéra.

Le truand qui avait parlé jusqu'ici propulsa son otage à l'intérieur du véhicule.

– Aide-le.

Au même moment, le conducteur de la voiture de fuite qui avait compris le changement de plan de ses complices, se gara en catastrophe devant le fourgon et descendit de voiture alors que le premier convoyeur arrivait sur lui. Il ouvrit le coffre.

– Mets ça là-dedans et magne-toi.

L'homme jeta les deux sacs dans le coffre de la BMW et repartit au pas de course vers le fourgon, croisant en chemin son collègue qui arrivait avec un chargement identique. Le troisième convoyeur sortit à son tour de la banque puis fut jeté au sol sous la menace d'une arme, devenant ainsi garant du bon comportement des deux autres.

Chapitre Quinze

Vincent n'en croyait pas ses yeux. Il avait déjà vu des employés de banque vider leur caisse sous la menace d'une arme, mais c'était la première fois qu'il assistait au pillage d'un convoi de fonds par les convoyeurs eux-mêmes.

Gisèle avait rangé leur véhicule à bonne distance de la scène, et ils étaient suspendus à la radio dans l'attente des ordres de Castelan. Pour le moment, la consigne était claire : ne pas bouger tant que les truands détenaient des otages potentiels. Au pire, on les laisserait repartir avec leur nouveau butin pour les arrêter sur le parking de la gare, revenant au plan initial.

Puis tout se mit à déraper.

Le premier convoyeur, celui que les truands avaient contraint à leur ouvrir la porte du fourgon, était remonté dans l'habitacle pour prendre des sacs. Profitant d'un instant d'inattention du gangster qui le tenait en joue, il empoigna un fusil à pompe et jaillit du fourgon en faisant monter une balle dans le canon.

Le truand qui menaçait de son arme l'autre convoyeur, n'eut pas le temps de se retourner. La décharge de chevrotines le cueillit en pleine poitrine, et il fit un bond en arrière avant d'aller s'affaler contre le mur de la banque. Déjà, le convoyeur retournait son fusil vers le gangster le plus proche.

– On fonce ! gueula Castelan dans le micro.

Gisèle enclencha la première et la sirène du véhicule dans le même mouvement. La voiture bondit sur le trottoir qu'elle remonta à toute allure tandis que les gangsters ripostaient au tir du convoyeur qui se mit à tressauter sous les impacts de balles.

Arrivée à vingt mètres du fourgon, Gisèle fit partir la voiture en dérapage contrôlé tandis que le convoyeur s'effondrait. Son fusil, soudain devenu trop lourd, lui échappa des mains. Vincent s'éjecta avant même l'arrêt de la voiture et braqua le malfaiteur le plus proche.

– Jette ton arme et couche-toi ! Maintenant !

Le quatrième gangster jaillit de la banque, alerté par les détonations et les sirènes. Sa Kalachnikov pivota en lâchant une rafale mais le sac qu'il portait l'empêchait de tenir correctement le fusil d'assaut, et Vincent entendit les balles se perdre en sifflant au-dessus de sa tête. Il braqua son Glock, dérisoire face à la puissance de feu adverse.

– Lâche ça !

Le truand abandonna le sac contenant le butin, et sa main gauche vint se caler sous le fût de la Kalachnikov. Vincent vit le canon pivoter vers lui, des flammes en jaillir...

L'impact lui déchira la poitrine et le souleva de terre. L'instant d'après, il percutait le sol et se retrouvait couché sur le dos, une douleur abominable lui cisaillant le thorax. Très loin de là, lui semblait-il, des coups de feu claquaient et Gisèle hurlait :

– Couche-toi, salaud, ou je te plombe !

Puis un voile passa devant ses yeux et il lutta pour ne pas s'évanouir. Il voulut se redresser, mais sa poitrine lui faisait un mal de chien et il pouvait à peine respirer. Des sirènes hurlaient, des détonations éclataient, sporadiques. Les aboiements de la Kalachnikov s'étaient tus. Apparemment, Gisèle avait atteint sa cible.

Vincent la vit soudain s'accroupir près de lui. Elle lui jeta un regard rapide, avant de retourner son attention vers les autres gangsters qu'elle n'avait cessé de braquer.

– Ça va ?

Vincent grimaça, parvint à aspirer enfin une goulée d'air.

– J'ai connu mieux, souffla-t-il.

– Tu ne saignes pas. Ton gilet a dû faire son boulot.

Il porta la main à sa poitrine et découvrit deux traces d'impacts sur le gilet.

Les coups de feu avaient cessé mais les sirènes continuaient de hurler. Vincent se redressa avec difficulté, meurtri, avec la sensation d'avoir pris un semi-remorque en pleine poitrine.

Gisèle se releva et lui tendit la main pour l'aider à se remettre debout, sans quitter des yeux les Gitans qui, à présent, étaient tous allongés sur le trottoir.

– T'es dingue, souffla-t-elle. S'il t'avait collé une balle dans la tête, ton gilet n'aurait pas servi à grand-chose. Tu cherches à te faire tuer ?

Puis elle partit sans attendre la réponse pour passer les menottes au truand le plus proche.

Castelan était près de celui qui devait piloter la voiture de fuite. L'homme était couché sur le sol, déjà immobilisé. Pour ses deux autres complices, les menottes étaient inutiles : ils étaient morts. Il confia la garde du survivant à un de ses adjoints et s'approcha de Vincent.

– Ça va ?

Celui-ci récupéra son arme tombée à terre. Cet effort lui arracha une grimace de douleur.

– Ça ira. Ça aurait pu être pire.

– Hé, t'es plus en vacances ! Pourquoi tu n'as pas tiré ?

Vincent haussa les épaules, incapable de répondre. Il avait failli se faire descendre. Plus grave, par sa faute, Gisèle aurait pu être tuée. Si elle n'avait pas plombé le type à la Kalachnikov, la rafale suivante aurait pu la couper en deux. Il s'approcha du truand couché les bras en croix sur le trottoir, deux trous au niveau du cœur. Du pied, il écarta le fusil d'assaut. L'homme ne s'en servirait plus jamais, mais c'était un réflexe de prudence enseigné par des années de pratique. Le convoyeur qui avait utilisé le fusil à pompe était mort, lui aussi. Ses deux collègues paraissaient sonnés.

– Vincent, Louis, vous sécurisez le périmètre jusqu'à l'arrivée des renforts !

Les sirènes se turent une à une et Vincent remisa son arme, se demandant pourquoi il ne s'en était pas servi. C'était une question que Castelan ne manquerait pas de lui poser lors du débriefing. Il se retourna, vit ses collègues embarquer les deux truands survivants dans les voitures qui démarrèrent aussitôt. Ceux qui demeuraient sur place commencèrent à procéder aux constatations, impacts de balles, repérage et décompte des douilles, recensement des témoins…

La vie reprenait. Vincent se frotta pensivement la poitrine.

Chapitre Seize

Castelan était furieux. Il avait contrôlé sa colère durant toute la matinée et une partie de l'après-midi, mais dès que Vincent franchit la porte de son bureau, il lui laissa à peine le temps de la refermer avant d'exploser :

– Qu'est-ce qui s'est passé, bon Dieu ? Je t'ai vu sortir de la voiture, arme au poing, et puis tu as disparu derrière le fourgon. Et j'ai vu ce type tourner sa Kalachnikov vers toi et prendre tout son temps pour tirer. Je ne pouvais pas intervenir à cause d'un convoyeur qui se trouvait entre nous. J'ai cru qu'il t'avait tué. Et finalement c'est Gisèle qui a dû le fumer ! Qu'est-ce que tu attendais, bon Dieu ?

Vincent haussa les épaules.

– Ça s'est passé très vite.

– Très vite, à d'autres ! Tu avais tout le temps de tirer dès que tu es descendu de voiture. Tu avais une ligne directe ! Putain, Vincent, qu'est-ce qui t'arrive ? J'ai connu une époque de ta vie où ce type n'aurait pas eu la moindre chance de bouger le petit doigt. Et là, non seulement tu manques de te faire descendre, mais tu mets la vie de ta coéquipière en danger.

C'était ce qui perturbait le plus Vincent. Son immobilisme avait laissé au truand le temps de se reprendre et de tirer. Une balle perdue aurait très bien pu atteindre Gisèle ou un passant.

– Je ne suis peut-être plus fait pour ce métier.

– Arrête tes conneries. Tu vas te reprendre. Je sais que tu as eu des problèmes, et je compatis, mais ça remonte à un an, il faut que tu fasses ton deuil. La vie continue, tu as des responsabilités, tu dois les assumer. Tu étais ivre, ce matin ?

Vincent secoua la tête.

– Non, je n'avais rien bu. Je te le jure.

Parole d'ivrogne, Castelan n'avait aucune raison de le croire. Même si c'était vrai.

– Bon, admettons. Qu'est-ce qui ne va pas, alors ? C'est l'histoire de ce type assassiné près de chez toi qui te perturbe ?

– Y'a de ça, et un tas d'autres trucs. C'est assez compliqué pour moi en ce moment, mais ça va s'arranger.

– J'espère, parce que sinon je ne pourrais pas te garder. Je n'ai pas les moyens d'avoir un homme qui met la vie de ses collègues en danger. C'est clair ?

Vincent acquiesça. C'était très clair et il comprenait la position de Castelan. Le groupe comptait neuf personnes, chacune devait pouvoir s'appuyer en toute confiance sur les autres. Qu'un maillon fasse défaut et toute l'équipe en pâtirait.

– Tu vois toujours la psy ?

Après le décès de son épouse, Vincent avait été orienté vers la psy qui apportait son soutien aux policiers victimes de traumatismes. Elle ne lui avait pas été d'un grand secours, et il lui avait vite préféré les services de Jack Daniel et Johnny Walker.

– La psy, pour ce que ça sert…

– Tu ferais bien de reprendre quelques séances avec elle. Savoir que tu fais des efforts m'encouragerait à te garder. De toute façon, avec ce qui vient de t'arriver aujourd'hui, tu ne coupes pas au moins à une séance.

Vincent émit un grognement qui pouvait passer pour un consentement, mais, au fond de lui-même, il savait qu'il ne retournerait pas voir cette femme qui prétendait que son chagrin causé par la perte de son épouse, remontait plutôt à la nature de ses relations avec sa mère, à une époque de son enfance dont il n'avait conservé aucun souvenir.

– Cela dit, constata Castelan d'un ton quelque peu radouci, je ne vais peut-être pas avoir à me poser la question de te garder ou non. Je viens d'avoir Monnier. Il risque de prendre la décision à ma place.

– Qu'est-ce qu'il t'a raconté ?

– ...Que pour l'instant, il n'a qu'un seul suspect, et que c'est toi.

– S'il faisait son boulot...

– Il le fait. Et moi, à sa place, il y a longtemps que je t'aurais fait mettre en examen.

– Qu'est-ce qu'il attend, alors ?

– Je l'ignore. J'ai évoqué la question à mots couverts, pour ne pas lui donner d'idées, et j'ai bien l'impression qu'il compte le faire d'ici huit à dix jours au plus tard.

– Pourquoi pas avant ?

– Je pense qu'il veut mettre toutes les chances de son côté. Comme il a affaire à un flic, il souhaite éviter la mauvaise pub si possible, et surtout la faute de procédure dans laquelle tu t'engouffrerais pour t'en tirer.

– Donc, dans une semaine, je me retrouve au trou ?

– Peut-être pas au trou, mais mis en examen, certainement.

Vincent quitta le bureau de Castelan en ruminant cette perspective. Il lui restait une semaine pour faire la preuve de son innocence s'il ne voulait pas se retrouver devant un juge. Il regagna son bureau et consulta la fiche des antécédents d'Yvon Kervalec. Elle ne contenait pas grand-chose. Deux ou trois histoires de recel lui avaient valu de la prison avec sursis, jusqu'à l'affaire de l'année dernière : trois voitures volées dans son garage, qu'il était en train de maquiller quand la police avait débarqué. Il avait refusé de livrer ses complices, ce qui avait agacé les juges, et il s'était retrouvé derrière les barreaux, pour de bon cette fois.

Vincent secoua la tête. Un an plus tard, Kervalec était libre, et la première chose qu'il faisait c'était de foncer chez lui, sur son lieu de vacances, où il se faisait descendre.

Qu'est-ce qu'il pouvait lui vouloir de si urgent qui ne pouvait attendre son retour ?

De nouveau, Vincent se heurtait au mystère des liens qui pouvaient bien les unir. Et avec Alexandra ? Malgré les photos trouvées dans le garage, Vincent ne voulait toujours pas croire à un banal adultère de la part de sa femme. Surtout pas avec un type comme Kervalec. Il se leva et rafla son blouson. La journée tirait à sa fin, et le gang des Gitans mis hors d'état de nuire donnait un peu d'air à toute la brigade qui pouvait enfin décompresser.

– Tu t'en vas ? demanda Gisèle.

– Oui.

– Et si Castelan te demande ?

– Dis-lui que je suis allé voir la psy, ça lui fera plaisir.

Chapitre Dix-Sept

Cette fois, le bar où Kervalec avait ses habitudes était ouvert. Vincent y entra, s'accouda au comptoir et commanda un whisky. Tout en sirotant son verre, il détaillait les consommateurs. Il était dix-huit heures à peine, et la salle était à moitié pleine de clients, des ouvriers pour la plupart, qui venaient ponctuer avec un ballon de rouge ou un pastis une journée bien remplie.

Rien que de très honnête.

Vincent sortit sa carte et la tapota sur le comptoir, à côté de son verre. Le patron soupira :

– Si c'est pour le garagiste, vos collègues sont déjà passés.

– Je recoupe les informations. Vous le connaissiez bien ?

– Pas plus que ça. Il venait prendre son pastis avec des copains presque tous les soirs, mais ça s'arrêtait là.

– Deux commerçants quasiment voisins, et vous n'étiez pas amis ?

Le cafetier prit du recul et appuya ses deux mains sur son comptoir comme pour mieux marquer la distance qui le séparait du garagiste.

– Non, on ne se fréquentait pas. Je tiens un café honnête, moi. Vous pouvez vérifier, j'ai pas de machines à sous, mon vin n'est pas coupé et je ne récupère pas les fonds de verre pour les resservir.

– Vous saviez qu'il était receleur ?

– Vos collègues me l'ont dit.

– Mais avant ça ? Si vous ne vouliez pas le fréquenter, vous deviez avoir vos raisons, non ?

– Je le soupçonnais d'être pas clair. Ça me suffisait pour prendre mes distances.

– Vous l'avez vu ici avec une femme ?

– Oh, y'en avait deux ou trois dans le groupe qu'il rejoignait parfois. Une qui travaille au Monoprix, une autre…

– Non, je veux dire une relation personnelle, une femme avec laquelle il serait venu seul.

– Peux pas dire…

Vincent hésita. Puis, humilié mais décidé à boire la coupe jusqu'à la lie, il prit son portefeuille et en sortit une photo d'Alexandra.

– Cette femme, ça vous dit quelque chose ?

Le cafetier examina la photo.

– Jolie fille ! Malheureusement, elle n'est jamais venue ici. Je m'en serais souvenu.

Vincent remit la photo dans sa poche, soulagé mais guère plus avancé. Il n'y croyait pas de toute façon. Si Kervalec avait eu une liaison avec Alexandra, il ne se serait certainement pas montré avec elle dans le café qui se trouvait à deux pas de chez lui.

– Parmi ses fréquentations, vous n'avez rien remarqué d'anormal, ces derniers temps ?

– Ces derniers temps, comme vous dites, il était au trou.

Vincent retint un soupir d'exaspération.

– Avant cela, alors. Il y a un an, avant qu'on l'envoie au trou.

Le cafetier haussa les épaules.

– Pourrais pas dire. On ne se fréquentait pas, c'est clair ?

– Bon, qui le fréquentait ?

Le cafetier hésita.

– Pour quelqu'un qui n'a rien à cacher, vous ne semblez pas très coopératif.

– Hé, je réfléchis. Vous pouvez peut-être interroger Bob.

– Et il est où, ce Bob ?

– Là-bas.

D'un mouvement de tête, le cafetier désigna un client attablé seul devant un pastis, au fond de la salle.

– On progresse. C'est bien.

Vincent vida son verre et s'écarta du comptoir pour aller interroger Bob. Ce dernier, comprenant que son tour arrivait, vida son verre d'un trait, posa quelques pièces sur la table et se leva comme s'il s'apprêtait à partir. Vincent l'intercepta alors qu'il se faufilait entre deux tables en direction de la sortie.

– Vous avez deux secondes ?

– C'est que je suis pressé.

– Si vous n'avez pas deux secondes, vous avez peut-être quarante-huit heures ? Je vous embarque, si vous préférez...

Résigné, Bob fit demi-tour tandis que Vincent faisait signe au patron de renouveler leurs consommations.

– Reprenons à zéro. Bonjour Bob.

Celui-ci grogna quelque chose qui ressemblait à un salut. Âgé d'une quarantaine d'années, il était vêtu d'une salopette bleue maculée de cambouis sur laquelle il avait enfilé une veste grise. Une casquette plate dissimulait mal une calvitie bien avancée.

– C'est Bob comment, au fait ?

– Robert Galland.

– Eh bien, Robert, vous venez souvent ici ?

– C'est interdit ?

– Inutile d'être agressif, je n'ai rien contre vous. Pour le moment du moins. Maintenant, si vous me posez des problèmes, moi aussi je peux devenir agressif. C'est clair ?

Galland opina avec résignation.

Le cafetier vint poser leurs deux consommations que Vincent régla aussitôt. Galland en parut rasséréné.

– D'où connaissiez-vous Yvon Kervalec ?

– Je l'ai rencontré ici. Il était garagiste, je suis mécano. On a sympathisé, c'est tout.

– Vous travailliez pour lui ?

– Jamais !

Galland avait lâché ça comme pour se dédouaner de tout rapport avec le receleur.

– Vous le voyiez, en dehors d'ici ?

– Jamais non plus.

– Vous ne l'avez jamais croisé en ville ?

– C'est peut-être arrivé une fois ou deux, mais sans plus.

– Est-ce qu'il vous a paru nerveux, ces derniers temps ?

– Je ne l'ai pas revu depuis qu'on l'a envoyé en prison.

– Et avant cela ?

– Ça fait plus d'un an.

– Oui, mais c'est ce qui m'intéresse. Il y a un trou d'un an dans sa vie, c'est la prison. Il en sort et il se fait tuer. Donc, soit c'est à cause de quelque chose qui s'est passé en prison, et mes collègues enquêtent de ce côté-là, soit la cause est à chercher ailleurs, il y a plus d'un an. Alors ?

– Alors, alors… rien.

– Vous êtes sûr ?

Galland réfléchit, comprenant qu'il ne s'en tirerait pas aussi facilement. Une lueur apparut dans son regard, et Vincent sut qu'il avait mis le doigt sur quelque chose.

– Oui ?

– Je ne sais pas si ça a un rapport…

– Dites toujours, je verrai bien.

– C'était quelques semaines avant qu'il soit arrêté. Il était nerveux. Irritable.

– Ce qui ne lui ressemblait pas ?

– Vous avez vu son physique ? C'est le genre de type à qui on colle des baffes dans les films. Il évitait de se fâcher avec les gens.

Vincent se remémora le petit bonhomme étendu dans le caniveau, avec ses vêtements au rabais et sa minuscule tête de fouine. Effectivement, pas le genre à faire le coup de poing.

Et dire que cet homme avait des photos d'Alexandra… Non, ce n'était pas possible.

– Donc il était nerveux. Pourquoi ?

– Je ne sais pas. Il disait qu'un truc comme ça c'était impardonnable, parlait de se venger.

– Se venger de qui, de quoi ?

Galland haussa les épaules.

– Je ne sais pas, je lui ai posé la question mais il n'a pas voulu répondre. Il s'est levé et il est parti. Dans les semaines suivantes, j'ai bien vu qu'il continuait à être perturbé mais il n'a plus jamais abordé le sujet. Et puis un jour, il n'est plus venu. On aurait dit qu'il se cachait.

– Il a disparu ?

– Non, il était chez lui. Il travaillait dans son garage, mais il n'en sortait plus. Ça a duré quelque temps et vos collègues sont venus l'arrêter. J'ai pensé que c'était de ça qu'il avait peur, il savait qu'il était surveillé par la police.

Vincent réfléchit. Si Kervalec s'était senti repéré, il n'aurait pas conservé des voitures volées dans son garage. Non, il craignait autre chose. Mais quoi ? Et il avait parlé de se venger. De qui ? On avait trouvé une arme chez lui. L'avait-il achetée en sortant de prison ou avant d'y aller ? Et cette arme était-elle destinée à le protéger ou à le venger ? Autant de questions auxquelles Vincent devrait trouver des réponses.

– C'est tout ? Vous ne voyez rien d'autre ?

Galland haussa les épaules.

– Même ça je m'en souvenais pas, il a fallu qu'on en parle pour que ça me revienne, alors…

Vincent posa sa carte sur la table et vida son verre.

– Continuez de réfléchir. Si autre chose vous revient...

Galland acquiesça et empocha la carte, vaguement déçu de voir que le flic se contentait d'une tournée.

Vincent se leva, examina la salle avant de revenir vers le cafetier.

– D'autres personnes ici ont pu connaître Kervalec ?

Le cafetier secoua la tête.

– Pas pour le moment.

– Ok, je reviendrai.

Vincent lui laissa également sa carte, à tout hasard, et sortit.

Chapitre Dix-Huit

Michel fut tout aussi perplexe que Vincent à l'énoncé de ses découvertes.

– Des projets de vengeance, la peur… Ce type a pu te raconter n'importe quoi pour que tu le laisses tranquille.

– J'en ai bien conscience, mais je ne crois pas. Je pense qu'il était sincère.

– Si tu le dis…

Vincent n'en était pas vraiment convaincu, mais la piste d'un mystérieux ennemi de Kervalec était la seule à laquelle se raccrocher. S'il l'abandonnait, il n'aurait plus rien à se mettre sous la dent et, dans une huitaine de jours, il serait devant le juge qui lui signifierait son inculpation.

– De mon côté, j'ai pensé à un truc, dit Michel.

– Oui ?

– Si Alexandra était bien la maîtresse de ce type ou l'avait été…

Il eut un geste d'apaisement envers le mouvement de protestation de Vincent.

– J'ai dit « si »… Donc, s'il y avait ou s'il y avait eu quelque chose entre eux, cela pourrait expliquer son suicide : elle se rend compte qu'elle a fait une connerie et la honte est trop forte. Elle n'a pas d'autre solution que d'en finir.

– Alexandra n'aurait jamais abandonné sa fille pour ça…

– Et si Kervalec la faisait chanter ? Il avait ces photos, peut-être d'autres choses encore, des courriers explicites, des vidéos… Qui sait ? Le suicide était peut-être sa seule issue possible.

Vincent réfléchit. L'hypothèse lui paraissait absurde. Il ne voyait pas Alexandra avec un homme dans le genre de ce garagiste. Mais on avait pourtant découvert chez lui ces photos et cette culotte qui n'auraient jamais dû s'y trouver…

Paradoxalement, cette hypothèse offrait pourtant un aspect intéressant pour Vincent : si Alexandra s'était suicidée à cause du receleur, cela le dédouanait, lui. Il n'était plus responsable de sa mort. Ce qui lui apporterait un grand soulagement. Il vida son verre et se leva.

– Bon, faut que je rentre voir comment va ma fille.

– Elle va bien, ne t'inquiète pas, je suis passé chez toi, tout à l'heure.

Vincent prit appui sur le dossier de son fauteuil pour reprendre son équilibre au milieu de la pièce qui tanguait.

– Michel, je voulais te dire... Tu as toujours été un ami. Mais, depuis un an, j'apprécie particulièrement tout ce que tu fais pour moi.

– Arrête, c'est naturel...

– Non, sérieusement. Tu sais, aujourd'hui j'ai pris deux balles en pleine poitrine. Heureusement que les nouveaux gilets sont efficaces. Et j'ai pensé à ma fille, j'ai pensé qu'elle n'aurait plus personne si je disparaissais. Je veux que tu me promettes un truc. Promets-moi de t'occuper d'elle si je venais à disparaître.

Michel secoua la tête, comme s'il était gêné par cette conversation et par la confiance que Vincent lui prodiguait.

– Tu sais que tu peux compter sur moi, mais ne dis pas de bêtises, tu ne vas pas mourir.

– C'est promis ?

– C'est juré craché. Mais ne pense plus à tout ça. C'est l'alcool qui te rend sentimental. Demain tu n'y penseras plus.

– Si ! C'est trop im... important. Je veux faire le nécess... nécessaire. On va faire des papiers pour ça.

– Si tu veux. Mais crois-moi, tu m'enterreras. Ne pense plus à ça.

– Merci.

Vincent se détourna et, sur un dernier salut de la main, se dirigea en titubant vers la porte.

– Vincent ?

– Oui ?

Il faillit se ramasser en se retournant et se rattrapa de justesse au dossier d'un fauteuil.

– Il te reste à peine une semaine pour prouver ton innocence, tu ne devrais pas la passer bourré.

– Tu as raison.

Il avait dit ça, mais ne voyait pas vraiment en quoi cette remarque était justifiée : il réfléchissait aussi bien ivre que lorsqu'il était à jeun. Ou presque. Parfois, il avait même le sentiment que cela lui permettait de faire des raccourcis, d'avoir des intuitions qui ne lui seraient peut-être jamais venues à l'esprit, s'il était resté sobre.

Michel l'interpella au moment où il allait sortir :

– Si mon hypothèse est la bonne, concernant le suicide d'Alexandra, il serait peut-être intéressant d'aller voir chez Kervalec.

– On y est déjà allés, la veuve ne veut rien lâcher.

– Non, je veux dire dans son garage. Il faudrait voir si on ne pourrait pas mettre la main sur quelque chose qui aurait échappé aux collègues.

– Quelque chose comme quoi, par exemple ?

– On le saura quand on le trouvera, mais je parierais sur des lettres ou d'autres photos…

Vincent opina. C'était une piste inté-ressante qu'il ne pouvait se permettre de négliger.

– Mais pas ce soir.

– Non, ce soir, tu as besoin d'un bon lit et d'une bonne nuit de sommeil. Embrasse la petite pour moi.

Vincent ne se fit pas prier et reprit le chemin de sa maison. Heureusement qu'ils étaient voisins, parce que jamais sa voiture n'aurait été capable de retrouver seule sa route.

Chapitre Dix-Neuf

Julia était couchée lorsqu'il rentra chez lui. Il consulta sa montre, constata qu'il était plus de vingt-deux heures. Il était demeuré chez Michel plus longtemps que prévu. Toujours la même histoire : un verre en entraîne un autre, et on refait à chaque fois le monde.

Après s'être servi un autre verre de whisky, il entreprit ce qu'il n'osait faire depuis un an : il fouilla le secrétaire où Alexandra rangeait ses papiers. Rien n'avait été touché depuis sa mort. Les policiers qui avaient enquêté en avaient examiné le contenu, mais sans que rien n'ait retenu leur attention.

Vincent commença par les relevés bancaires. Ils avaient des comptes séparés et se répartissaient les dépenses du ménage qu'ils réglaient chacun de leur côté. Alexandra n'avait qu'un compte courant, un plan d'épargne logement et un compte sur livret, avec quelques milliers d'euros sur chacun. Pas une fortune, mais assez pour intéresser un petit maître chanteur.

Femme ordonnée, elle classait ses relevés avec soin. Il remonta sur six mois, ne découvrit aucune opération suspecte. Pas de retrait bizarre, ni de gros virement... Durant les mois précédant sa mort, Alexandra avait continué de gérer ses finances comme elle le faisait auparavant.

La menace d'un maître chanteur s'éloignait. Sauf s'il en était à sa première tentative lorsqu'Alexandra avait décidé de mettre fin à ses jours.

Vincent examina tous les papiers qui se trouvaient dans le secrétaire. Ce faisant, il vida son verre et alla le remplir à nouveau. Une heure plus tard, il était certain de ne rien découvrir de plus parmi ces papiers. Le seul élément un peu bizarre était une facture de carte bleue émise le matin même de sa mort. Les policiers avaient enquêté, à l'époque. Il s'agissait d'une station-service située au Pecq. Il n'avait aucune idée de ce qu'Alexandra était allée faire là-bas. Elle prenait en général l'essence à côté de chez eux, dans le centre commercial le plus proche.

Il referma le secrétaire, fit claquer l'abattant qui lui échappa des mains et il se figea... Rien. La maison demeurait silencieuse, il n'avait pas réveillé sa fille. Il se servit un dernier verre avant de se coucher, et s'affala dans le canapé. Le salon n'était éclairé que par la lumière du bar, mais cela lui suffisait amplement.

Son Glock le gênait dans son dos et il le sortit de son étui pour le poser sur la table. Il n'avait pas pris le temps de se changer depuis qu'il était rentré, ni même d'ôter sa veste. Il le ferait au moment de se coucher.

Il but une rasade, reposa son verre, et son regard vint se fixer sur son arme. Il avait pris deux balles dans la poitrine aujourd'hui. Pourquoi n'avait-il pas tiré le premier ? Ni même riposté après la première rafale qui s'était perdue au-dessus de sa tête ? Avait-il inconsciemment voulu se suicider ?

Ce serait la solution à tous ses problèmes. Certes, il abandonnerait sa fille mais qu'était-il encore en état de lui apporter ? Michel saurait s'occuper d'elle bien mieux que lui. Il l'aimait, la couvrait de cadeaux depuis sa naissance. Elle serait en de bonnes mains, plus attentionnées que les siennes, en tout cas.

Et Michel venait de lui promettre de s'occuper d'elle !

Vincent se saisit de son arme. S'il choisissait la même mort qu'Alexandra, la rejoindrait-il là où elle se trouvait maintenant ? Il n'avait jamais vraiment cru à une vie dans l'au-delà, mais se surprenait parfois à l'espérer depuis qu'Alexandra les avait quittés.

Dans la main, il tenait un petit kilo de mort et de laideur efficace. Une légère pression de l'index et hop, terminé ! Soit il rejoignait Alexandra, soit il sombrait dans le grand néant où il oublierait enfin tout, et d'abord ce sentiment de culpabilité qui le minait.

Il remonta l'arme devant ses yeux. Alexandra avait préféré le cœur. Un homme choisissait en général la tempe, ou la bouche s'il voulait être sûr de ne pas se rater.

De la pénombre, une silhouette pénétra dans son champ de vision et accrocha son attention. Ce n'était pas la première fois qu'il avait la sensation d'une telle présence près de lui, la nuit. D'habitude, il évitait de se retourner, de crainte de faire fuir celle qu'il espérait. Mais ce soir, il était plus ivre que jamais.

– Alexandra ?

Il se retourna.

La silhouette se figea sur le seuil de la pièce et le regard de Vincent mit quelques secondes à comprendre que ce n'était pas Alexandra qui apparaissait.

– Julia ?

Sa fille le fixait avec terreur et il réalisa qu'il avait toujours son arme à la main, à quelques centimètres de son visage. Il laissa doucement retomber son bras.

– Je... J'allais le nettoyer, dit-il.

Il posa le Glock sur la table et le son mat de l'arme sur le bois résonna dans l'atmosphère lourde de la pièce. Julia fit trois pas en avant, le regard fixé sur le pistolet qui avait déjà tué sa mère...

– Il est propre, dit-elle.

Elle le prit et il la laissa faire, alors qu'il lui avait toujours interdit de toucher à ses armes.

Consciente que ce Glock lui avait enlevé la personne qu'elle chérissait le plus au monde, la fillette le tenait entre deux doigts comme une chose répugnante, au risque de le laisser tomber. Vincent voulut lui dire de le poser, mais comme il n'y avait pas de balle dans le canon, elle ne risquait rien.

– Je vais le ranger. Je te le rendrai demain. Tu devrais aller te coucher.

Il acquiesça et le salon se mit à tournoyer autour de lui.

Lorsque Julia revint dans la pièce, Vincent n'était toujours pas parvenu à s'extirper du fauteuil. Elle l'aida à se relever en le tirant par un bras. Pesant sur les épaules de sa fille, il passa dans sa chambre où elle l'aida à se défaire de sa veste et de sa chemise. Puis elle lui dégrafa sa ceinture, lui ôta l'étui du Glock, et il s'affala sur le lit. Julia lui retira ses chaussures et alla chercher le plaid dont elle l'avait recouvert la veille. Elle éteignit en sortant, laissa la porte entrebâillée au cas où il aurait besoin de quelque chose durant la nuit.

Puis elle regagna sa propre chambre.

Julia s'assit sur son lit, sachant qu'elle aurait beaucoup de mal à se rendormir. Elle vivait un cauchemar et se demanda quand tout cela s'arrêterait, et même si cela s'arrêterait un jour... Depuis la mort de sa mère, les choses allaient de mal en pis.

Elle se leva pour prendre un livre dans sa bibliothèque. Elle l'ouvrit à l'endroit où une lettre faisait office de marque-page. Sur l'enveloppe, sa mère avait inscrit : « Pour Vincent ».

Julia, inquiète, culpabilisée, fixa longuement cette lettre qui l'empêchait souvent de dormir, et qui devait l'accuser. Elle avait la certitude qu'elle disait tout, et racontait pourquoi sa mère s'était suicidée à cause d'elle.

Et si son père la lisait, il se tuerait peut-être à son tour.

Mais s'il n'en prenait pas connaissance, il continuerait d'imaginer qu'elle s'était tuée à cause de lui. Ce remords finirait par le tuer aussi !

Quoiqu'elle fasse, Julia avait le sentiment d'attirer le malheur sur leur maison, une fois de plus, pouvant entraîner la mort de la seule personne qui lui restait au monde.

Malgré ses douze ans, son expérience de la vie lui donnait une maturité d'adulte. Terrifiée, elle avait tout compris de la situation. Elle s'abandonna à des sanglots silencieux avant de refermer le livre sur son secret, et de le ranger, anonyme, perdu au milieu de la centaine d'ouvrages qui composaient sa bibliothèque.

Au fond du couloir, elle entendit son père ronfler. Elle se recoucha et éteignit sa veilleuse. Les sanglots la secouèrent longtemps dans sa chambre obscure avant que le sommeil ne vienne enfin lui apporter l'oubli.

Chapitre Vingt

Vincent se réveilla la bouche pâteuse et avec un mal de crâne comme il n'en avait pas connu depuis longtemps. Il avait dû sérieusement abuser du whisky la veille au soir.

Ses yeux se posèrent alors sur la table de chevet où Julia avait posé l'étui vide de son Glock, et la mémoire lui revint en partie. Il se revit, l'arme à la main, comme hypnotisé par ce néant qui l'attirait. Et ensuite ?

Ensuite, sa fille arrivait, prenait l'arme et le conduisait se coucher... Il était en train de prendre conscience qu'il l'avait imprudemment laissée entre les mains de Julia !

Cette pensée le dégrisa instantanément et il sauta du lit. Il constata qu'il avait dormi avec son pantalon qui serait bon pour un passage au pressing. Il boucla sa ceinture, enfila ses chaussures et se rendit à la cuisine où sa fille prenait son petit déjeuner.

Il eut honte de voir à quel point elle était devenue autonome en moins d'un an, et comme elle avait appris à se passer de lui. En temps normal, il en aurait éprouvé de la fierté, mais aujourd'hui, cette indépendance révélait sa négligence et peut-être son incapacité à l'élever : Julia se passait de lui parce qu'il n'était pas là quand elle en avait besoin. Elle avait appris à se débrouiller seule depuis la mort de sa mère parce qu'elle ne pouvait pas compter sur lui.

Une fois de plus, il se dit avec tristesse qu'elle serait bien mieux sans lui. Au fait, qu'est-ce que Julia avait pu faire de son Glock ?

Leurs regards se croisèrent, elle devina ses pensées et hocha la tête avec gravité.

– Je vais le chercher, dit-elle.

Il la suivit jusqu'au seuil de sa chambre, la vit glisser la main sous le matelas et en ressortir l'engin de mort. Tenue avec délicatesse, cette chose énorme et noire dans sa petite main blanche ressemblait à un gros insecte endormi qui ne demandait qu'à se réveiller et agresser celle qui le tenait. Vincent la débarrassa de ce poids.

– Merci, dit-il.

– Papa, j'ai besoin de toi !

Il opina sans mot dire, luttant pour contenir ses larmes, et lui passa la main dans les cheveux. Mais Julia se dégagea et fila dans la cuisine.

Il remisa l'arme dans l'étui qu'il posa sur l'armoire de sa chambre avant de passer dans la salle de bains. La douche glacée lui fit du bien, et lorsqu'il réapparut dans la cuisine, rasé de frais, propre, coiffé, et vêtu d'un costume qui n'avait pas l'air de sortir d'une poubelle, c'est un autre homme qui s'adressa à sa fille.

– Alors, bien dormi ?

Julia haussa les épaules et continua de boire son chocolat. Il se rendit compte alors qu'elle lui avait préparé son café.

– Merci, ma fille, je ne sais pas ce que je deviendrais sans toi.

Faisant un effort d'imagination pour lui être agréable, il lui dit :

– Tu sais quoi ? Ce soir, je vais rentrer de bonne heure, et nous fabriquerons ce

nichoir pour les oiseaux que tu me récla-
mes depuis une éternité.

Manifestement, la construction de cet
abri n'enthousiasmait pas Julia, en butte
à d'autres problèmes. Il posa la main sur
son épaule.

– Tu n'es pas contente, qu'on fabrique
enfin cette petite cabane ?

– Si, bien sûr.

Elle se dégagea et alla rincer son bol
dans l'évier avant de le mettre dans le
lave-vaisselle. Une vraie petite femme
d'intérieur, songea Vincent, se disant
également que cette enfant était bien
trop fragile et jeune pour supporter ce
qu'elle vivait et ce qu'elle voyait du spec-
tacle donné par son père.

Il décida que le soir même, il cesserait
de boire. Ou du moins qu'il boirait...
moins, décision prise tant de fois déjà,
en vain !

Chapitre Vingt et Un

La matinée parut interminable à Vincent qui tapait le rapport sur l'arrestation du gang de la veille, un œil fixé sur la pendule. Tout à son histoire personnelle, il avait bien du mal à se concentrer sur les affaires courantes. À dix heures, il avait appelé Muriel. Comme il s'y attendait, l'accueil avait été très froid. Muriel était la meilleure amie d'Alexandra et, comme lui, elle n'avait jamais accepté sa mort. Elle l'en tenait même pour responsable !

Il avait tout de même obtenu qu'elle veuille bien le rencontrer sous prétexte d'avoir découvert quelque chose de nouveau à propos d'Alexandra, dont il souhaitait lui parler. Comme il refusait de lui expliquer par téléphone de quoi il s'agissait, elle avait consenti à le retrouver pour déjeuner.

À midi quinze, il quitta son poste pour se rendre au restaurant. Il arriva le premier et s'installa à une table près de la vitre où ils seraient à peu près tranquilles et d'où il pourrait surveiller la rue, par un vieux réflexe dont il n'avait même plus conscience.

En l'attendant, il commanda un whisky tandis que son regard observait les passants. Il n'avait pas revu Muriel depuis les obsèques d'Alexandra, et encore n'avait-il fait que l'apercevoir. Elle n'était pas venue le saluer, et ne lui avait même pas présenté ses condoléances à la sortie du cimetière. Il n'était d'ailleurs pas sûr de la voir aujourd'hui.

Comme elle avait été la confidente d'Alexandra, elle devait savoir si celle-ci avait eu un amant.

Muriel arriva enfin, s'assit en face de lui sans l'embrasser et le dévisagea. Elle avait gardé son corps de jeune femme, élancé et à l'allure dynamique dont il avait été amoureux avant de rencontrer Alexandra. Mais, remarquant les rides qui soulignaient le coin de ses yeux, il se dit qu'elle aussi avait été rattrapée par le temps et les soucis. Il n'en tira aucune consolation.

– Ça n'a pas l'air d'aller, constata-t-elle comme en réponse à ses pensées.

Elle paraissait presque s'en réjouir. Vincent fit la moue.

– J'ai du mal à me faire à l'idée qu'Alexandra n'est plus là.

Muriel eut un geste d'agacement.

– Pas à moi, tu veux ?

– Écoute, je sais ce que tu penses, mais je ne l'ai pas tuée. L'enquête m'a innocenté, bon Dieu ! Et puis quelle raison j'aurais eu de la tuer ?

– L'argent de l'assurance. Il me semble que tu as touché un bon paquet, non ?

Le serveur leur apporta les menus.

– Je ne vais pas avoir le temps…

– Ce que j'ai à te dire risque de prendre du temps.

Il saisit un menu, elle en prit un à son tour, à contrecœur. Le serveur s'éloigna.

– Crois-tu vraiment que je l'aurais tuée pour l'assurance ? Je n'ai pas touché à cet argent. Il est sur un compte. Il servira à payer les études de Julia, et l'aidera à s'installer plus tard.

– Elle va bien ?

– Comme une gamine dont la mère s'est suicidée.

– Alexandra ne s'est pas suicidée. Elle ne l'aurait jamais abandonnée alors qu'elle savait qu'elle avait tant besoin d'elle. Sa fille comptait plus que tout au monde, et elle aurait donné sa vie pour elle.

Vincent savait cela. C'était ce qu'il ne cessait de se répéter depuis un an. Cela ne faisait que renforcer sa culpabilité. Pour passer outre à l'amour qu'elle éprouvait pour sa fille, Alexandra avait dû être profondément désespérée. L'idée qu'il portait vraisemblablement une grande part de responsabilité dans ce désespoir l'accablait. Qu'avait-il fait pour la pousser à ce geste ? Il décida d'en venir au cœur du sujet :

– Est-ce qu'Alexandra avait un amant ?

Muriel parut interloquée par cette question. Elle le regarda, réfléchissant avant de l'interroger à son tour :

– C'est pour me demander ça que tu m'as fait venir ?

– Tu n'as pas répondu.

– Non, elle n'avait pas d'amant.

– Tu en es certaine ?

– Elle m'en aurait parlé. J'aurais vu des signes avant-coureurs. Et aussi ridicule que cela puisse te paraître, elle était dingue de toi, figure-toi.

– Est-ce que le nom d'Yvon Kervalec te dit quelque chose ?

Muriel prit le temps de réfléchir quelques instants avant de secouer la tête.

– Rien du tout. Pourquoi ? C'est lui que tu soupçonnes d'avoir été son amant ?

– C'est une longue histoire. Nous ferions mieux de commander.

Intriguée, Muriel se laissa convaincre, et c'est autour d'un « plat du jour » auquel ni l'un ni l'autre ne prêta attention que Vincent la mit au courant des nouveaux événements. Il passa rapidement sur sa vie de ces derniers mois, sur son irréversible plongée dans l'alcoolisme, et lui parla brièvement de Julia et de leurs problèmes, des ennuis de la petite avec l'école, de sa scolarité qui partait à vau-l'eau, de son incapacité à lui apporter le réconfort et la confiance dont elle avait besoin, pour en arriver à ces huit jours de vacances à Cabourg et au cadavre qu'il avait découvert à deux rues de chez lui.

– Et tu ne connaissais pas ce type ? demanda-t-elle lorsqu'il eut terminé.

– Apparemment, si. Je l'ai arrêté une fois, il y a une vingtaine d'années, mais ça m'était sorti de la tête. Depuis, il était demeuré sous les « radars ». En ce qui me concerne, en tout cas.

Au moment des cafés, Muriel ne paraissait plus si pressée. Il commanda un armagnac. Elle ne prit pas d'alcool, et eut le bon goût de ne pas lui faire remarquer qu'il avait déjà trop bu.

– Et donc, ce type avait ton adresse dans sa poche et on a trouvé chez lui des photos d'Alexandra dénudée et une de ses culottes...

– Je ne suis pas certain que la culotte lui ait appartenu mais compte tenu des circonstances...

Muriel secoua la tête.

– C'est dingue.

Du moins ne l'accusait-elle plus d'avoir assassiné sa femme. Vincent considéra cela comme un progrès. Pour le reste, hormis la certitude éprouvée par Muriel qu'Alexandra ne l'avait jamais trompé, cette rencontre ne lui avait pas apporté grand-chose.

– Qu'est-ce que tu vas faire ?

– Creuser.

Elle se pencha et prit sa main dans la sienne.

– Vincent, je suis désolée de t'avoir soupçonné. Quand Alexandra est morte, j'ai refusé d'accepter son suicide. Et aujourd'hui encore, cela me paraît impensable. Je te croyais forcément coupable puisque personne n'avait pu pénétrer dans la maison. Et comme elle n'avait pas laissé de mot, ne m'avait jamais parlé de quoi que ce soit... je t'ai haï. Des milliers de fois, je me suis reproché de vous avoir présentés l'un à l'autre...

– Je comprends. Moi aussi je me suis haï. Aujourd'hui, je continue encore...

– Tu dois te ressaisir. On ne saura peut-être jamais pourquoi elle a fait ça. Mais tu ne dois pas te laisser aller. J'aurais dû être plus présente, au moins pour votre fille. Je le devais à Alexandra. Et sans doute un peu à toi aussi, en souvenir du temps que nous avons passé ensemble. Je suis désolée.

Il essaya de retenir ses larmes. Il n'allait tout de même pas se mettre à pleurer ici, dans ce restaurant, devant cette femme qui, une heure plus tôt, aurait souhaité avec plaisir le voir disparaître. Même si ce qu'elle lui disait lui faisait chaud au cœur et lui donnait l'impression de retrouver un peu de celle qu'il pleurait chaque jour depuis un an.

– Ne t'inquiète pas pour moi, dit-il finalement d'une voix qu'il aurait voulue plus ferme.

Elle retira sa main et la magie fut rompue.

– Tes collègues t'aident-ils au moins ? s'inquiéta-t-elle avec compassion.

– Mon chef me couvre plus ou moins, mais il ne peut pas grand-chose. Quant à ceux de Cabourg, ils n'ont pas d'autre suspect et je suis leur cible principale. Je pense que je serai mis en examen d'ici la fin de la semaine ou au début de la semaine prochaine.

– Et tu ne peux rien faire ?

– Creuser, comme je te l'ai dit. Mais à titre personnel. Sans l'appui de la grande maison.

– Sois prudent !

– Je ne risque pas grand-chose : si je ne fais rien, je vais me retrouver de toute façon derrière les barreaux.

Il fit signe au serveur de lui apporter l'addition.

– En tout cas, si tu as besoin de moi, n'hésite pas à m'appeler.

– Merci.

– C'est sérieux. Si tu dois t'absenter, je peux garder ta fille.

– Oh, elle a appris à se débrouiller seule. Et puis Michel habite juste à côté, elle peut l'appeler en cas de besoin. Mais merci, j'y penserai le cas échéant.

Il vit qu'elle avait les larmes aux yeux à son tour.

– C'est tellement stupide, dit-elle finalement. Comment en sommes-nous arrivés là ? Qu'est-ce qui a bien pu se passer ?

Il ne sut pas si elle parlait seulement de ce qui était arrivé à Alexandra, ou bien de leur histoire à tous les deux, achevée sitôt que commencée et dont ils étaient sortis meurtris sans vouloir se l'avouer, réduits au rôle de « restons bons amis » pour dissimuler leurs plaies. Puis elle lui avait présenté Alexandra et leurs vies avaient pris des chemins séparés. Était-ce cela qu'elle évoquait ?

Vincent paya l'addition et ils quittèrent ensemble le restaurant. À l'extérieur, le temps s'était rafraîchi et Muriel frissonna.

– Je te dépose ?

– Non, je vais juste à côté.

Elle hésita, et se pencha finalement vers lui pour l'embrasser sur la joue.

– Je suis vraiment désolée pour tout ça. J'espère que tu vas t'en sortir. Et n'hésite pas à m'appeler si tu as besoin de quelque chose. Ou juste pour parler.

– Merci.

Il la regarda s'éloigner d'un pas pressé, surpris par la tournure qu'avait pris cette rencontre. Cette présence féminine, la chaleur de son amitié qui ressuscitait soudain, lui avaient fait grand bien. Cela lui faisait chaud au cœur.

Il consulta sa montre, pensa aller prendre un verre dans le troquet de l'autre côté de la rue, mais y renonça. Il devait garder les idées claires. Il récupéra sa voiture. Ce soir, il quitterait tôt son travail puisqu'il avait promis à Julia de s'occuper de cette petite cabane pour les oiseaux. Après quoi, il irait faire un tour chez Kervalec. Et il faudrait bien que son fantôme finisse par lui révéler le fin fond de l'histoire !

Chapitre Vingt-Deux

Vincent se hissa sur l'escabeau sous le regard inquiet de sa fille. Même s'il n'avait pas bu grand-chose de l'après-midi, s'étant contenté d'un verre en rentrant chez lui, il avait du mal à garder son équilibre. Le petit abri qu'il venait de terminer pesait dans sa main et finissait de le déstabiliser. Il s'immobilisa, en appui sur deux marches, et regarda au-dessus de lui. La branche était presque à portée de sa main et il devait juste passer la cordelette par-dessus, et le tour serait joué.

Il n'était habituellement pas sujet au vertige, mais il hésitait. Était-il à ce point imbibé que l'alcool circulait en permanence dans son sang ? Il parvint en un effort démesuré, à stabiliser le nichoir. Cela tiendrait bien et, finalement, il n'avait pas risqué sa vie pour y parvenir.

– Passe-moi les graines.

Julia lui tendit le petit sac et il inclina la petite construction pour y verser une bonne ration par la porte. Puis il lui rendit le sac.

Il redescendit de l'escabeau avec soulagement, et se réjouit de voir enfin sa fille sourire devant leur réalisation. Cela lui fit tellement chaud au cœur qu'il se sentit emporté par un grand élan de générosité et prêt à tout pour prolonger ce sourire sur son visage.

– Il reste assez de planches pour en faire une deuxième. Qu'est-ce que tu en dis ? On en fait une autre ?

Elle se rembrunit aussitôt.

– Non ! Parce qu'un autre oiseau viendrait s'y installer et embêterait les petits !

Il sourit à son tour. Malgré son âge, Julia avait déjà conscience de ce qu'il fallait faire pour élever et protéger une famille. Il avait devant lui une vraie petite femme en puissance ! Il lui passa la main dans les cheveux et la prit affectueusement dans ses bras avant de replier l'escabeau.

– Bien. Maintenant, il va falloir les laisser tranquilles si on veut qu'ils s'installent ici.

Il prit un peu de recul pour admirer leur œuvre et conclut qu'il pouvait être fier d'eux : la petite maison disposait même d'une petite plateforme devant l'entrée pour permettre aux oiseaux de se poser tranquillement avant de se nourrir.

– Ah ! On a oublié quelque chose, dit-il.

– Quoi ?

Julia paraissait inquiète, comme si ce petit bout de maison prenait d'un coup une importance capitale pour elle.

– On a oublié de leur mettre une petite chaise longue sur la terrasse pour qu'ils profitent du soleil !

Elle lui donna un coup de poing dans les côtes.

– T'es bête ! Les oiseaux, ça ne fait pas de chaise longue !

– Simplement parce qu'il n'y en a pas à leur taille !

– C'est ça, c'est ça…

Mais elle se retenait pour ne pas rire de sa plaisanterie, et il fut heureux d'avoir ramené un sourire sur ses lèvres grâce à ce petit assemblage de simples planches.

Il remisa l'escabeau dans l'appentis et rejoignit sa fille qui, assise sur la terrasse, guettait l'arrivée des premiers oiseaux dans la maison.

– Je dois aller voir Michel, maintenant, lui dit-il, ne m'attends pas pour manger.

– Tu sors ce soir ?

Julia s'alarma, comme à chaque fois qu'il la laissait seule. Depuis la mort de sa mère, elle s'inquiétait dès qu'il disparaissait. Et comment aurait-il pu lui en vouloir ?

– Je ne rentrerai pas tard, mais sûrement pas avant la nuit tombée.

Elle se leva et rentra sans un mot. Vincent resta là, à fixer des yeux la petite cabane sans la voir, se demandant comment il parviendrait à élever tout seul sa fille au cours des années suivantes. Elle n'était encore qu'une enfant et ils rencontraient déjà des problèmes de communication. Qu'en serait-il lorsqu'elle deviendrait une adolescente, puis une jeune femme, avec des problèmes insolubles pour un homme ? Elle avait besoin d'une présence féminine, d'une oreille attentive, de quelqu'un qui saurait la conseiller et la guider sur ce chemin difficile.

Muriel ? Si sa proposition était sincère, et il le pensait vraiment, elle pourrait sans doute leur être d'un grand secours.

D'ici là, il avait plus urgent à régler. Il devait effectuer sa visite chez Kervalec et voir ce que son garage pouvait lui révéler. En attendant, il allait prendre un verre chez Michel et lui demander conseil.

Chapitre Vingt-Trois

« T'es dingue ! »

Michel ne décolérait pas depuis que Vincent lui avait fait part de son intention. Ce qu'il avait accepté lorsqu'ils l'évoquaient comme hypothèse de travail, lui semblait être devenu le comble de la folie depuis que Vincent avait décidé de passer à l'action.

– Je n'ai pas le choix, il faut que je découvre quelle était la nature de leur relation.

– Enquêter en parallèle, c'est déjà limite, mais une perquise illégale chez une victime, qui plus est commise par le principal suspect, ça, ça ne rigole pas. Tu risques de te retrouver au trou avant d'avoir dit « ouf » !

– Je sais, mais au trou, j'y serai de toute façon dans une semaine si ça continue comme ça.

– T'en sais rien. Laisse faire les collègues...

– Tu sais très bien que si je n'étais pas
de la maison, j'y serais déjà.

Michel leur resservit à chacun un verre
pour ne pas avoir à répondre.

– Je n'ai pas le choix, insista Vincent.

– Et c'est pour ça que tu t'es habillé en
commando ?

Vincent inspecta sa tenue : jean noir,
pull acrylique noir, blouson de cuir de
même couleur avec, dans les poches, une
cagoule de ski et une paire de gants, sans
parler de la lampe torche et du sac...

– Je ne suis pas beau comme ça ?

– Tu es surtout la caricature du monte-
en-l'air telle que se la représente le premier pékin venu. Tu fais vingt mètres
comme ça sur un trottoir, et tout le quartier te signale à Police secours.

– La police, c'est moi.

– Ouais, plus pour bien longtemps si
tu continues comme ça.

Michel but une gorgée, puis reposa
son verre en réfléchissant. Il le regarda,
et finit par secouer la tête avec découra-
gement.

– Ok, je vais t'accompagner.

– T'es fou ! Si on est pris…

– Faut bien que quelqu'un veille sur toi pour t'empêcher de faire des conneries. Et puis je resterai dehors à faire le guet.

– Les collègues ne vont pas revenir en pleine nuit… ?

– On ne sait jamais. Bon, l'affaire est entendue mais il est encore un peu tôt. Mieux vaut attendre minuit. On joue aux échecs pour patienter ?

Ils eurent le temps de faire deux parties que Vincent perdit. Comme d'habitude, il fonçait sans réfléchir, droit dans les pièges que lui tendait Michel.

– Je te l'ai toujours dit, remarqua celui-ci en remettant l'échiquier à sa place, tu fonces bille en tête dans le mur. Essaie de temps en temps de penser un peu latéral, tu éviterais de te faire surprendre par les côtés, et ton jeu n'en serait qu'amélioré.

Mais il était minuit passé et Vincent n'avait pas l'esprit suffisamment clair pour réfléchir à des questions de stratégie. Pour cette nuit, la sienne était arrêtée : il allait foncer chez Kervalec !

Chapitre Vingt-Quatre

La nuit était noire et le quartier dormait déjà. L'ampoule du seul réverbère de la rue avait rendu l'âme depuis si longtemps que les riverains en avaient oublié l'existence. Vincent et Michel passèrent devant le garage en roulant à une allure normale. Rien ne bougeait et aucune lumière ne brillait dans l'immeuble. Personne dans les voitures en stationnement non plus. Michel conduisait. Il fit le tour du pâté de maison, s'arrêta sous le lampadaire éteint, juste assez de temps pour que Vincent descende.

Sitôt fait, ce dernier se fondit dans l'ombre et attendit que les feux de la Mercedes disparaissent. Michel allait se garer deux rues plus loin et reviendrait à pieds. En cas de problème, Vincent appellerait sur un portable qu'il lui avait confié avant leur départ. Il en avait conservé un autre, identique. « Ils ne sont pas répertoriés », avait juste indiqué Michel. Impossible donc de remonter jusqu'à eux en cas de pépin. Un homme de ressources, ce Michel, que Vincent était heureux d'avoir à ses côtés durant cette épreuve. Malgré son cerveau embrumé, il s'approcha du garage en rasant les murs.

Les scellés avaient été mis sur la porte, mais c'était le cadet de ses soucis. Il les arracha d'un geste et introduisit dans la serrure le petit outil confisqué quelques années plus tôt à un cambrioleur. Il n'avait jamais eu l'occasion de s'en servir ailleurs que sur les vieilles serrures qu'il avait utilisées pour le tester, et constata qu'il fonctionnait toujours aussi bien.

La porte du garage s'ouvrit et il se glissa dans l'obscurité, refermant sans bruit derrière lui avant d'allumer sa torche.

Vincent se retrouva face à un tel fatras qu'il en fut vite dégrisé. Comment espérer découvrir quelque chose là-dedans ? Le faisceau de sa lampe se promena sur des carcasses de vieilles voitures qui encombraient le fond de l'atelier – il

reconnut au passage la silhouette caractéristique d'une Ford Mustang de la
grande époque –, puis gagna des étagères
métalliques, encombrées de bidons et
d'une multitude de pièces mécaniques
dont on ne savait plus vraiment à quoi
elles avaient pu servir.

Le garage semblait n'avoir que deux
issues : celle par laquelle il était entré,
s'encastrant dans le portail qui coulissait
pour permettre le passage des véhicules,
et une petite porte en bois, en haut de
trois marches, qui devait accéder directement à l'habitation des Kervalec. Vincent espérait ne pas avoir à fouiller ce
logement. Forcé de le faire en plein jour
pour éviter la présence de la famille, il
multiplierait les risques. Il devait absolument découvrir quelque chose dans le
garage lui-même !

Le commissaire Monnier avait parlé
d'un bureau dans lequel il avait retrouvé
les photos...

Le rayon lumineux de sa lampe continua de parcourir l'ensemble du local, ce
qui lui permit de distinguer, au fond,
derrière les voitures, un escalier en bois
qui montait jusqu'à... un petit bureau

vitré qui surplombait le garage en mezzanine.

Les marches grincèrent sous le poids
de Vincent. La porte était demeurée
ouverte après le passage de ses collègues ; il n'eut donc aucune difficulté à
pénétrer dans ce qui avait été l'antre de
Kervalec, l'endroit secret où il avait
conservé les souvenirs d'Alexandra.

Vincent fut rapidement désappointé.
La fouille menée par Monnier et ses
hommes avait été minutieuse. Ils avaient
déplacé les placards et le bureau pour
regarder derrière, mis les tiroirs sens
dessus dessous…, et surtout ils avaient
emporté tout ce qu'ils renfermaient. La
pièce ne contenait plus aucun papier ! Il
ne restait qu'un malheureux calendrier
publicitaire au mur, provenant du restaurant « Les Bateliers », situé à Marly-
le-Roi.

Du style calendrier des pompiers, avec
une photo différente pour chaque mois,
ce n'était pas le genre sur lequel on peut
aisément prendre des notes. Vincent le
feuilleta néanmoins, à tout hasard.
Comme il s'y attendait, il ne contenait
pas la moindre annotation. Pour cette

raison, probablement, les enquêteurs n'avaient pas jugé bon de l'emporter. Vincent le raccrocha machinalement au mur, se demandant bien où tout cela le menait. Sa réponse était claire : nulle part.

Il allait devoir fouiller la maison.

Mais avant de s'y résoudre, il lui fallait s'assurer qu'il ne laissait rien derrière lui. Il avait toute la nuit pour faire le tour du garage. Sans grande illusion.

Il allait s'attaquer à ce travail de titan lorsque le téléphone que lui avait confié Michel vibra dans sa poche. Au même instant, la porte du garage s'ouvrait d'un coup avec un grondement métallique.

Vincent éteignit sa lampe d'un geste réflexe et se retrouva plongé dans une semi-obscurité. En effet, deux sources de lumière éclairaient très faiblement les lieux. La première provenait de la porte que l'on venait d'ouvrir, et la seconde, plus discrète, d'au-dessus de sa tête. Il leva les yeux et découvrit un vasistas.

Sans perdre de temps à réfléchir, il monta sur le bureau, tandis qu'un appel était lancé au rez-de-chaussée :

– Police ! Qui que vous soyez, sortez de là les mains en l'air !

Vincent rangea la lampe dans sa poche et tira sur la targette qui maintenait le vasistas fermé.

En bas, à quelques mètres de lui, le rayon d'une puissante torche déchirait les ténèbres. Il repoussa le vasistas qui s'ouvrit en grinçant, déclenchant de nouveaux appels des policiers :

– Qu'est-ce que c'est que ce bruit ? Qui est là ? Pas un geste ! Sortez les mains en l'air. Mais allume, bon Dieu !

– J'essaie, mais j'trouve pas l'interrupteur.

Il agrippa le rebord du vasistas et tenta de se hisser à l'extérieur à la force de ses bras. Bon sang, quel effort ! Il avait pris du poids et manquait d'exercice.

– Y'a personne ?

– Si ! Là-haut ! Il se sauve par le toit !

Entendant le bruit de ses poursuivants qui faisaient trembler l'escalier de bois sous leurs pas, Vincent effectua un dernier soubresaut et parvint à rouler sur le toit. Il se redressa aussitôt, essoufflé par son effort, et se mit à courir vers l'immeuble voisin. Heureusement, la toiture du garage était presque plate et celle de l'entrepôt voisin la surplombait de deux mètres à peine. Il parvint à grimper dessus sans trop de difficultés. Derrière lui, toujours pas de poursuivants : apparemment, les policiers qui s'étaient lancés sur ses talons n'étaient pas en meilleure forme que lui. Il escalada le toit, en franchit le faîte et redescendit de l'autre côté jusqu'au bord. Il n'avait pas vraiment le choix : pas d'autre issue en vue, les flics qui allaient bientôt déferler, et le quartier qui serait bouclé dans quelques minutes !

Il était hors de question de se rendre et de sortir sa carte. Les ennuis lui tomberaient dessus à la vitesse d'un météore et il était certain de se retrouver en garde à vue dans un premier temps, mis en examen ensuite, avec, à la clef, une inculpation pour perquisition illégale, effraction, violation de domicile, et tout ce qu'il plairait au juge de rajouter...

Couché le long du bord du toit, il palpa le mur sous lui. Il n'était qu'au deuxième niveau, c'était jouable s'il faisait preuve d'audace et bénéficiait d'un peu de chance.

Sa main gauche se referma sur un conduit de descente des eaux de pluie. Un bon vieux conduit en fonte, bien solide.

Sans prendre le temps de réfléchir, il se laissa glisser dans le vide, sa main droite agrippée au rebord de la gouttière, et il se retrouva suspendu, la main gauche empoignant le conduit de descente en fonte, lui permettant d'assurer sa position, tandis que la droite cramponnait toujours la gouttière en zinc qui donnait des signes de fatigue et grinçait sinistrement.

Il décida que le moment était venu. Il lâcha prise, dégringola d'un bon mètre et se retrouva, tétanisé, les deux mains rivées au tuyau d'évacuation des eaux pluviales, le cœur battant la chamade. Il avait bien cru que c'en était fini pour lui.

Il expira profondément. Le plus dur était fait. Rapidement, il entama une descente qui, pour n'avoir rien d'académique, n'en était pas moins efficace : les deux pieds accrochés au fameux conduit pour se laisser glisser, Vincent s'en remettait aux lois de la gravité pour remplir leur office, se contentant d'accompagner sa chute en décrochant ses mains l'une après l'autre.

Deux étages plus bas, il percuta le sol plus vite qu'il ne s'y attendait et se tordit la cheville.

Jurant à voix basse, il s'éloigna en boitillant. Michel l'attendait à deux rues de là. Il tourna à gauche cinquante mètres plus loin, marchant aussi vite que la douleur le lui permettait. Il traversa la chaussée, atteignit le trottoir opposé juste au moment où un gyrophare apparaissait à toute allure, derrière lui, à l'autre bout de la rue. Vincent hésita : se mettre à courir ou attendre et sortir sa carte cette fois, comme s'il ne faisait que se promener dans le quartier ?

Il n'eut pas à trancher. La voiture prit la direction qu'il venait de quitter, et il l'entendit freiner brutalement peu après.

Il se jeta alors dans la première rue. À ce moment-là seulement, il repensa au téléphone qui avait vibré dans sa poche, alors qu'il était encore dans le garage. Il avait un message qu'il écouta.

« Fais gaffe ! Voilà des flics ! » disait la voix de Michel.

Merci de me prévenir !, maugréa Vincent.

Une voix féminine lui proposait de rappeler son correspondant, ce qu'il fit aussitôt. Michel décrocha très vite mais ne dit rien.

– Tu peux parler, c'est moi, souffla Vincent.

– Ah ! Tu m'as fait peur. Alors ? Qu'est-ce que tu fiches ?

– J'ai réussi à sortir. J'arrive, mais le coin est bourré de flics. Tu es toujours au même endroit ?

– J'ai dû déplacer la voiture mais je t'y retrouve dans deux minutes.

Vincent gagna l'ombre d'une porte cochère et n'eut pas à attendre très longtemps avant de voir la Mercedes de Michel tourner à l'angle de la rue.

La voiture s'arrêta à sa hauteur et redémarra sitôt qu'il fut monté.

– Alors ? demanda Michel. Qu'est-ce qui s'est passé ? T'étais à peine dedans que les flics débarquaient. Tu m'as flanqué une de ces trouilles.

– Quelqu'un a dû me voir entrer. Ou peut-être l'éclat de la lampe sur le vasistas. À moins que la veuve ne m'ait entendu...

– En tout cas, tu as de la chance qu'ils n'aient envoyé qu'une seule voiture. Comment tu t'en es sorti ?

Vincent raconta l'exploration du garage, puis son périple sur les toits tandis que le véhicule prenait de la vitesse et les éloignait de ce quartier où les policiers devaient être en train de se demander s'ils ne couraient pas après un fantôme.

– Tout ça pour rien, commenta Michel en se garant devant chez lui, alors que Vincent venait juste d'achever son récit.

– Pas tout à fait. Le calendrier, sur le coup, ça ne m'a pas dit grand-chose, mais avec le recul, je pense que je suis peut-être sur une piste.

– Un calendrier publicitaire ? Tu appelles ça une piste ?

– Le calendrier d'un restaurant à Marly-Le-Roi !

– Et alors ?

– Et alors, la dernière facture de carte bleue faite par Alexandra provenait d'une station-service du Pecq, le matin

de sa mort. On n'a jamais su ce qu'elle
était allé faire là-bas.

– Et le Pecq et Marly se touchent !

– Exactement.

– Donc tu penses qu'ils se fréquen-
taient bien en dehors de la vidange occa-
sionnelle ?

– Tout semble l'indiquer. Je ne veux
pas croire qu'ils étaient amants, mais
quelque chose les liait. Et je vais découvrir quoi. À défaut d'autres indices,
demain j'irai rendre visite à ce restaurant, peut-être que, là, quelqu'un se sou-
viendra d'eux... On doit au moins y
connaître Kervalec puisqu'il possédait
leur calendrier. Et ensuite, il faudra que
j'aie une nouvelle discussion avec la
veuve.

– Elle ne te dira rien, tu l'as vue...

– Faudra bien qu'elle balance ce
qu'elle sait, ma liberté est à ce prix et je
ne suis pas le seul en cause : ma fille a
déjà perdu sa mère, elle ne doit pas me
perdre aussi.

Vincent fut le premier surpris de ce
qu'il venait de prononcer. La veille
encore, il était persuadé qu'il vaudrait

mieux pour Julia qu'il disparaisse et que quelqu'un d'autre veille sur elle...

– Bon, je vais me coucher, je commence à raconter des conneries, dit-il. Merci pour le coup de main.

Michel balaya les remerciements d'un geste et le regarda rentrer chez lui avant d'actionner la télécommande de la porte de son garage.

Un calendrier publicitaire pour seule piste ! N'importe qui aurait renoncé. Mais Vincent n'était pas n'importe qui. Il l'avait formé et il pouvait être fier de son travail. S'il y avait quelque chose à découvrir dans ce restaurant, Vincent le découvrirait.

Chapitre Vingt-Cinq

Le restaurant correspondait bien à la photo du calendrier : une bâtisse à un étage, aux murs cachés sous du lierre. Une enseigne de couleur ocre annonçait « *Les Bateliers* » au-dessus de l'entrée et s'étendait de chaque côté jusqu'aux fenêtres de ce qui devait être une grande salle à manger. Et, pour ceux qui auraient eu du mal à déchiffrer la calligraphie un peu recherchée, deux péniches encadraient le nom. Cramponné à la berge, le bâtiment surplombait les eaux sombres de la Seine et se prolongeait par une terrasse sur pilotis qui devait être fort agréable en été.

Vincent se gara de l'autre côté de la route et nota, en descendant de voiture, que l'endroit louait également des chambres. Il en ressentit un pincement au cœur. Alexandra venait-elle ici pour retrouver son amant ?

Au moment de traverser, il hésita : que risquait-il de découvrir ? Avait-il vraiment envie de connaître les réponses à ses questions ?

Peu importaient ses désirs et ses craintes. Depuis l'irruption de Kervalec dans sa vie, il avait l'impression de se trouver sur un chariot lancé sur des montagnes russes, sans maîtriser ni le chemin à suivre ni la vitesse. Tout son avenir était menacé et il devait faire le nécessaire pour ne pas se retrouver en prison. Il lui fallait élucider le mystère des rapports entre Kervalec et Alexandra.

Il pénétra dans le restaurant. Il était à peine onze heures, et, pour l'instant, il n'y avait là qu'une serveuse qui dressait le couvert sur des tables drapées de nappes blanches.

– Le restaurant n'est pas encore ouvert, monsieur.

– Je sais. Je voudrais voir le propriétaire.

– Monsieur Pastureau ? Je vais le chercher.

Monsieur Pastureau était un homme bedonnant, d'une cinquantaine d'années. Il arriva dans la salle à manger en s'essuyant les mains sur son tablier blanc tandis que la serveuse retournait à ses préparatifs.

– Monsieur ?

Vincent sortit sa carte et la lui montra en même temps que la photo de Kervalec.

– Capitaine Vincent Brémont. Connaissez-vous cet homme ?

Le restaurateur prit la photo que Vincent lui tendait, et chercha la clarté d'une fenêtre pour mieux la détailler.

– Oui, il venait régulièrement ici, mais ça fait un bout de temps qu'on ne l'a pas vu. Il avait un nom breton…

– Kervalec.

– C'est ça. Il tient un commerce dans le coin et venait ici, de temps en temps, avec des clients ou des fournisseurs.

Vincent sortit la photo d'Alexandra.

– Est-ce que vous l'avez déjà vu avec cette femme ?

– Jolie fille ! Non, ça ne me dit rien.

– Vous en êtes sûr ?

– Je ne l'aurais pas oubliée… Mais bon, je suis souvent en cuisine. Faudrait demander aux serveuses… Monique ! Monsieur est de la police. Il veut savoir si on a vu ces deux-là ensemble. Lui, je suis sûr qu'il vient de temps en temps, mais elle, ça ne me dit rien. Et toi ?

La serveuse prit les deux clichés et les examina tour à tour.

– Il y a un bout de temps qu'il est pas venu, lui. Ça doit bien faire un an.

– Il a dû s'absenter, avança Vincent en guise d'explication.

– Il me semble qu'elle était avec lui la dernière fois où il est venu, se souvint-elle.

Vincent sentit les battements de son cœur s'accélérer.

– Vous en êtes sûre ?

– Certaine. Je me suis même dit qu'ils faisaient un drôle de couple. Elle ne paraissait pas être du même monde, vous voyez ce que je veux dire ?

Vincent voyait parfaitement.

– Vous êtes sûre qu'ils formaient un couple ?

Elle secoua la tête.

– À vrai dire, non. Ils n'ont pas pris de chambre. Mais en tout cas, ça ne ressemblait pas à un repas d'affaires.

– Qu'est-ce que vous voulez dire ?

– Ben, ils avaient l'air de se disputer, et elle s'est même mise à pleurer. Il lui a pris la main, mais elle l'a retirée brusquement. Lui aussi s'est mis à pleurer à un moment donné.

– Une querelle d'amoureux ? Une rupture ?

– Je ne sais pas, c'est pas l'impression que ça donnait. Ils avaient l'air malheureux tous les deux… Vous savez, des ruptures et des disputes, on en voit souvent ici. En général, il y a deux attitudes : la personne qui largue a l'air ennuyée mais reste distante, comme si elle se trouvait déjà ailleurs, et l'autre s'effondre et pleure quelquefois. Mais, c'est toujours bien tranché. On sait qui largue qui.

– Et leur discussion ne vous a pas donné cette impression ?

– Je ne sais pas, peut-être, mais leur attitude n'était pas typique de ce genre de situation.

– Vous n'avez pas entendu de quoi ils parlaient ?

– Non, ils se taisaient quand j'approchais. Et puis ils avaient réservé en terrasse, malgré le temps. Et moi, je servais surtout en salle. Ils avaient demandé à être placés tout seuls dans le coin, là-bas, peut-être pour qu'on ne les voie pas de la salle.

– C'était quand ?

– Je dirais un peu plus d'un an. On sortait de l'hiver mais il faisait encore frais. Mars ou avril.

– Le 12 avril ?

– C'est possible…

Le restaurateur, qui avait suivi l'échange avec intérêt, choisit cet instant pour intervenir.

– Y'a un moyen bien simple de retrouver la date si elle est importante pour vous.

– Elle l'est.

– Suffit de regarder dans les réservations de l'année dernière.

Il passa derrière la réception et sortit d'un tiroir un gros agenda noir.

– Le 12 avril, vous dites ?

Vincent se rapprocha et regarda les gros doigts feuilleter rapidement les pages, jusqu'à celle du 12 avril, parcourir une liste de noms et s'arrêter sur l'un d'eux.

– Là !

Il fit pivoter l'agenda, et Vincent put lire sur la ligne qu'il indiquait : « Kervalec, deux couverts, terrasse ».

Bien sûr, il n'était pas précisé le nom de la deuxième personne, mais pour Vincent, c'était amplement suffisant. Alexandra était venue déjeuner ici avec Kervalec et, l'après-midi même, elle se suicidait chez eux avec son arme de service.

Et, à peine un an plus tard, Kervalec se faisait assassiner en venant le voir.

– Ça vous aide ? demanda le restaurateur.

Vincent avait une boule dans la gorge, mais il parvint tout de même à articuler une réponse :

– Vous n'imaginez pas à quel point. S'il vous plaît, conservez précieusement ce registre. N'écrivez rien d'autre dedans, gardez-le en l'état et surtout ne le jetez pas.

– Pas d'inquiétude : je ne jette jamais rien. Avec le fisc on ne sait jamais de quoi on aura besoin dans l'avenir. Il ne bougera pas d'ici.

Vincent se tourna à nouveau vers la serveuse.

– Ils sont partis à quelle heure ?

– Je ne me souviens pas exactement, mais ça ne devait pas être très tard. Deux heures, deux heures et demie...

– Ils sont partis ensemble ?

– Ils ont quitté le restaurant ensemble, oui. Maintenant, savoir s'ils avaient chacun leur voiture... J'avoue que j'ai pas regardé.

– Merci. Vous voyez autre chose à ajouter ?

– Rien, je crois que j'ai tout dit. Qu'est-ce qu'ils ont fait ?

– Désolé, je ne peux pas vous le dire. Mais c'est important. Voici ma carte. Appelez-moi si quelque chose vous revient. Le moindre détail peut être capital.

– Entendu. Et s'ils reviennent, on vous prévient ?

– Ils ne reviendront pas.

Vincent regagna sa voiture et s'installa au volant. D'un certain point de vue, cette expédition était couronnée de succès, mais il ne savait pas encore à quoi lui servirait ce qu'il venait d'apprendre. Il leva les yeux vers la façade de l'auberge, comme pour y trouver une réponse. La nature des rapports existant entre Alexandra et Kervalec lui restait encore inconnue. Étaient-ils amants ? La serveuse n'avait pas eu cette impression, et ils n'avaient pas pris de chambre.

Mais, s'il s'agissait d'une rupture, le fait qu'ils n'aient pas pris de chambre s'expliquait aisément. La dispute et les larmes également.

Alexandra avait-elle entretenu une liaison avec cet homme avant de se rendre compte de l'absurdité de cette relation ? Au moment de rompre, cela s'était-il mal passé au point que Kervalec l'ait suivie jusque chez elle pour l'assassiner ?

Mais non. Alexandra s'était suicidée avec son arme à lui. Il n'y avait pas trace d'effraction. Supposer que Kervalec l'ait tuée revenait à admettre qu'il avait une clef de chez eux et qu'il savait où Vincent rangeait son arme.

Impossible.

Sauf si c'était Alexandra qui avait sorti le Glock pour se défendre, et que Kervalec avait retourné la situation à son avantage. Il pouvait très bien l'avoir tuée à bout portant avant de lui mettre l'arme dans la main.

Quant au fait qu'il ait eu une clef...

Vincent ne voulait pas croire qu'Alexandra aurait eu la légèreté de confier une clef de leur domicile à un étranger. Mais il avait enquêté sur tellement d'affaires d'adultère pour savoir que la passion l'emportait souvent sur la raison et qu'un acte jugé impossible quelques semaines auparavant, pouvait d'un seul coup devenir naturel, comme celui de donner un double de ses clefs à un quasi inconnu.

Il démarra. Il devait en apprendre davantage sur Kervalec.

Chapitre Vingt-Six

Michel regardait Vincent, l'air incrédule. Après lui avoir fait part de ses dernières trouvailles, celui-ci devait convenir qu'elles ne pèseraient pas lourd à l'aune d'une enquête policière digne de ce nom.

Avec son air raisonnable, son pantalon de costume au pli impeccable, Michel avait le sérieux de celui à qui on ne la fait pas, contrastant avec l'allure de son ami, dont la tenue négligée s'était dégradée à cause de l'alcool depuis la mort de sa femme.

– Ok, conclut Michel, ta femme et Kervalec se connaissaient. Et alors ? Elle avait une liaison avec ce type, il l'a plaquée ou bien il a tenté de la faire chanter en menaçant de tout te révéler, et elle s'est suicidée. Cela justifie qu'elle n'ait pas laissé de mot d'explication. Et tu vas enfin pouvoir cesser de culpabiliser et de te reprocher sa mort.

– Non.

– Non ? Comment ça, non ?

– Ça ne colle pas.

– Qu'est-ce qui ne colle pas ?

– Alex et ce type. Ça ne colle pas. Je ne la vois pas avec lui, c'est tout.

Michel soupira.

– Bon Dieu, tu es flic ! Tu en vois tous les jours des cas improbables, des douairières avec des voyous, des salopes avec des curés, des bonnes sœurs partouzardes… Tu sais que tout est possible.

– Pas Alex.

– Ok, pas Alex. Mais dans ce cas, comment tu expliques tout ça ?

– Pour l'instant, je ne me l'explique pas. Je réunis des éléments, des morceaux du puzzle. Ensuite, je regarderai l'image que ça donne. C'est bien comme ça que tu m'as appris à travailler, non ?

Michel sourit.

– Exact ! Et je suis heureux de voir que tu t'en souviens. On finira peut-être par faire de toi un bon enquêteur.

Il remplit leurs verres, et les deux hommes trinquèrent à cette perspective.

– Et quelle sera la prochaine étape ?

– Je dois en savoir plus sur Kervalec. Je vais retourner voir sa femme.

– À quoi bon ?

– Cela ajoutera une nouvelle pièce au puzzle. Avec une image plus claire de Kervalec, j'aurai peut-être l'explication de toute cette histoire.

– Elle ne te dira rien. Tu l'as vue, cette femme déteste les flics.

– Alors j'irai plus loin. J'enquêterai chez les parents de Kervalec, je remonterai à son enfance, jusqu'à sa grand-mère s'il le faut !

– Tu n'auras pas le temps, je te rappelle que tu as une enquête au cul et qu'ils vont te boucler dans quelques jours.

Vincent avala son verre et se leva avec difficulté.

– Bon, j'y vais, demain j'ai du boulot.

Michel le raccompagna jusqu'à la porte.

– En tout cas, quoi qu'il arrive, tu sais que tu peux compter sur moi.

Vincent se retourna, la main sur la poignée. Michel était tout ce qui lui restait, avec sa fille. Mais combien de temps

cet ami le supporterait-il encore ? Combien de temps avant qu'il ne se lasse de
ses apitoiements sur lui-même, de son
alcoolisme qui s'aggravait de jour en
jour ? Trop ému pour parler, il hocha la
tête et sortit.

L'air frais de la nuit lui tomba sur les
épaules, et il éprouva un intense soulagement à l'idée qu'il n'avait que quelques
mètres à faire pour rentrer chez lui. Ce
soir, il n'aurait pas été en état de
conduire !

Chapitre Vingt-Sept

La maison était silencieuse. Julia devait être couchée depuis longtemps. Il ôta ses chaussures dans l'entrée, suspendit sa veste sur un cintre dans la penderie, décrocha l'étui de ceinture dans lequel se trouvait son Glock, celui dont Alex s'était servie pour...

Il regarda l'arme sombre dans sa main. Lui-même ne l'avait jamais utilisée pour tuer. Et, d'un coup, cet instrument de mort avait causé leur malheur, avec pour seule victime à ce jour, celle qu'il avait aimée plus que tout au monde. Sa vie avait basculé à cause de cet objet de métal froid qui plombait sa main, l'instrument de tous ses problèmes. Mais peut-être aussi celui de la solution ?

Il suffirait de si peu pour tout résoudre. Un bref instant. Une lueur. Verrait-il

la lueur ? Entendrait-il la détonation ?
Alex l'avait-elle entendue ?

– Tu veux que je le range ?

Il sursauta. Il n'avait pas vu Julia approcher, et elle était là, maintenant devant lui,
au bout du couloir, la main tendue.

Il hésita. Lui confierait-il encore une
fois son arme ?

Mais ce soir, elle paraissait la plus
adulte des deux. À travers ses brumes
d'alcool, il vit sa fille, pieds nus, dans sa
chemise de nuit constellée de petites
fleurs roses, ses cheveux bruns coulant
sur ses épaules. Si jeune, si fragile, à
peine douze ans et un regard si mature,
déjà. Sur un petit geste d'invite de sa
part, il lui tendit le Glock.

Elle le prit, son bras accusant le choc
sous le poids du métal glacé. Puis elle
disparut en direction de sa chambre, et
Vincent s'appuya contre le mur, les yeux
fermés, tentant d'émerger des vapeurs
d'alcool. Combien de temps cela dure-
rait-il ? Que pouvait-il faire pour protéger Julia, alors que lui-même avait tant
besoin d'être aidé ?

Putain…, il avait vraiment besoin d'un
grand verre de whisky ! Il ouvrit les yeux

et s'écarta du mur. Le couloir tanguait un peu.

Julia qui revenait, tanguait aussi, comme dans un même bateau. Quelle ironie ! Et le bateau… coulait. Et lui, le capitaine, coulait plus vite que les autres.

Julia lui tendit une lettre.

– Y'a du courrier ?

Qu'est-ce qu'elle venait l'emmerder à minuit avec du courrier ? Ça pouvait attendre le lendemain matin. Il prit tout de même l'enveloppe, juste parce que Julia était sur son chemin dans la direction du bar.

Il passa dans le salon, alluma la lumière, tandis qu'elle le suivait timidement.

– Va te coucher, maintenant. Il est tard.

Mais sa fille ne bougeait pas. Elle semblait attendre quelque chose. Quoi ? La lettre ? C'était peut-être un mot de l'école. Elle avait fait une bêtise… ? Ses résultats n'étaient plus très bons depuis deux ou trois ans, et la mort de sa mère n'avait rien arrangé. Elle plongeait mais il ne pouvait rien y faire... Il verrait ça plus tard.

– On en parlera demain matin, d'accord ? Pour l'instant, je ne suis pas en forme.

Le bar était là, à un mètre de lui, mais un restant de fierté – ou bien était-ce de la honte ? – le retenait de l'ouvrir devant sa fille.

Julia ne bougeait pas. Elle ne le lâcherait pas tant qu'il n'aurait pas ouvert cette fichue enveloppe ! Il l'examina. Elle ne portait que deux mots : « Pour Vincent ».

Sans le fauteuil derrière lui pour amortir sa chute, il se serait écroulé sur la moquette.

Même dans l'obscurité, il aurait reconnu cette écriture ! C'était celle d'Alexandra ! Il examina le pli qui était fermée, le rabat collé.

– Où as-tu trouvé ça ?

Julia hésita.

– C'était devant elle.

– Devant elle ? Tu veux dire quand... quand tu l'as trouvée ce jour-là ?

L'enfant hocha la tête.

– Mais pourquoi… pourquoi l'as-tu gardée ? Merde, ça fait un an que je la cherche et que je me tue à comprendre pourquoi elle n'avait pas laissé d'explication.

Vincent exhala lentement les vapeurs d'alcool par les narines. Il devait se calmer, calmer la colère qui bouillait en lui et lui donnait envie de cogner sur tout ce qui se trouvait à sa portée. Mais, à sa portée, il n'y avait que Julia. Et elle en avait suffisamment encaissé depuis un an pour ne pas avoir à subir en plus les coups d'un père alcoolique. Il s'efforça de se maîtriser.

Julia détourna le regard. Des larmes coulaient sur ses joues.

– Ok, ne pleure pas, excuse-moi ! Je n'aurais pas dû me mettre en colère. Ce n'est rien, et tu n'as rien fait de mal. L'important, c'est que tu me l'aies finalement donnée ! Ca va ? On est copains ?

Julia n'était pas en état de parler. Vincent lui sourit, les larmes aux yeux, lui aussi. Comment en était-il arrivé là ? Il détourna le regard, le reporta sur l'enveloppe.

Le mot, le billet d'adieu dont il avait tant déploré l'absence ! Cette explication que les enquêteurs avaient cherchée en vain, Julia la gardait depuis ce jour tragique.

Il hésitait à ouvrir ce message laissé à son intention et qui lui parvenait, un an après, tel un courrier d'outre-tombe. Sa main tremblait et ce n'était pas dû seulement à l'alcool. Peut-être devrait-il confier ce texte à la police qui avait enquêté sur sa mort ? Mais qu'en feraient les policiers ? L'enquête était close. Il glissa le pouce dans l'ouverture et déchira l'enveloppe. Elle ne contenait qu'une simple feuille pliée en trois, quelques lignes tracées par Alexandra dans ses derniers instants.

« *Vincent,*

Je ne peux plus vivre ainsi. Ma vie n'a plus de sens. Je sais que tu prendra soin de Julia. Je te la confies. Demandes lui de me pardonner, et pardonnes moi toi aussi. J'ai décidé dans finir aujourd'hui car je ne peux pas vivre un jour de plus dans le mensonge.

Embrasse notre fille et prend soin d'elle. Dis lui bien que je l'aime de tout mon cœur.

Alexandra. »

Vincent relut le texte une seconde fois, et releva la tête. Julia n'avait pas bougé. Elle n'osait pas le regarder.

– Pourquoi m'as-tu caché ça aussi longtemps ?

Elle haussa les épaules.

Il lui tendit le mot qu'elle prit timidement.

– Tu peux le lire.

– Elle... elle parle de moi ?

– Lis. Elle dit qu'elle t'aime.

La fillette déplia la feuille et la parcourut rapidement.

– C'est plein de fautes, constata-t-elle d'une voix blanche.

Trop émue pour s'enfoncer dans le texte, elle n'en avait fait qu'une première lecture superficielle.

Vincent se leva. Sa fille pourrait comprendre qu'il avait besoin d'un whisky. Il s'arrêta soudain à proximité du bar, la main tendue, son geste suspendu comme par un coup de baguette magique.

– Qu'est-ce que tu dis ?

– Je dis que c'est plein de fautes.

Vincent se tourna vers sa fille.

– Tu en es sûre ?

Elle haussa les épaules. Ses résultats scolaires étaient peut-être en chute libre, mais elle demeurait championne en orthographe, un don qu'elle avait hérité de sa mère.

– Regarde.

Elle posa la lettre sur la table et passa la main dessus pour l'aplatir.

– *Tu prendra*, il faut un *s*.

Vincent secoua la tête. L'alcool perturbait ses sens, et il avait du mal à comprendre ce que lui disait sa fille.

– *Je te la confies*, il n'en faut pas.

– Tu crois ?

– Papa ! Enfin !

Bon, si elle le disait, elle devait avoir raison. Mais pourquoi certains verbes prenaient-ils un *s* et d'autres non ? Il n'avait jamais rien compris à ces règles. Et ce foutu whisky qui l'empêchait d'avoir l'esprit clair.

– *Demandes lui*, il ne faut pas de *s* non plus, mais il faudrait un trait d'union, *pardonne*, pas de *s* non plus. Et là, c'est énorme : *j'ai décidé dans finir* ! Comment elle a pu faire une faute pareille ?

– Ce n'est pas bon ?

– Papa ! C'est *d'en* ! Tu sais ça, quand même ?

– Bien sûr. C'est juste que j'ai du mal à réfléchir à cette heure. C'est tout ?

– Non. *Prend* devrait aussi prendre un *s*, justement… Là, je crois que c'est tout.

Il examina à nouveau cette lettre à la lumière de la leçon que sa fille venait de lui donner. Six fautes en six lignes, plus ces histoires de traits d'union… Même si Alexandra était émue au moment de se tuer, elle n'aurait jamais commis autant d'erreurs. Une, il aurait pu comprendre. Deux auraient été improbables, trois impossibles !

Il se redressa. Il lui semblait que l'alcool refluait de son organisme comme l'eau d'une baignoire qui se vide. Alexandra avait commis six fautes dans sa lettre d'adieu.

Inimaginable !

Il eut un regard pour le bar. Il n'avait plus soif. Cette découverte l'avait dégrisé.

Julia le fixait sans comprendre, vaguement soulagée, semblait-il.

– Pourquoi as-tu gardé cette lettre si longtemps ?

– Je croyais qu'elle s'était tuée à cause de moi.

Il prit sa fille par les épaules et la serra contre lui.

– Non, elle ne s'est pas tuée à cause de toi. Ni à cause de moi. Tu comprends ce que cela signifie ?

Julia leva les yeux vers lui, mais son regard ne manifestait que de l'incompréhension.

– Ta mère n'aurait jamais fait autant de fautes. C'est un message. Elle savait qu'on s'en apercevrait. On lui a dicté ce mot. Elle ne s'est pas suicidée. Elle a été assassinée !

Pour Vincent, en toute objectivité, il s'agissait d'une bonne nouvelle, mais sa fille le prit très mal. Habituée depuis un an à l'idée que sa mère s'était suicidée, elle découvrait soudain que quelqu'un s'était introduit chez eux pour la tuer. Elle lui jeta un regard horrifié.

– Ne t'inquiète pas, lui dit Vincent. Je pense que celui qui a fait ça est mort. Je crois qu'il s'agissait de l'homme qui a été tué à Cabourg. C'était quelqu'un qui n'avait pas une grande éducation. Il n'aurait pas su déceler ces fautes. Ta mère a pu les placer là, devant lui, sans qu'il s'en doute.

Mais Julia ne l'écoutait plus. Elle se dégagea de son étreinte et courut en direction de sa chambre, secouée de sanglots.

Vincent hésita à la suivre. Avait-elle besoin du réconfort qu'il pouvait lui apporter, ou bien valait-il mieux qu'elle demeure seule un moment à pleurer tout son saoul ?

Il préféra ne pas intervenir et se promit d'aller voir comment elle allait dans quelques minutes.

Il eut un regard pour son bar. Il aurait bien... Non ! Alexandra avait été assassinée, et dans leur maison ! Il n'était pour rien dans sa mort. Et, juste avant de mourir, elle lui avait lancé un appel au secours. Elle comptait sur lui pour la venger. Punir son assassin. Il ne pouvait plus se permettre d'obérer ses facultés et n'avait plus aucune raison pour s'apitoyer sur lui-même. Il devait garder l'esprit clair et utiliser tous ses moyens dans un seul but : retrouver et punir son assassin.

Pour le moment, tout convergeait vers Kervalec. Mais dans ce cas, pourquoi celui-ci était-il venu le trouver à Cabourg sitôt sorti de prison ? Et qui l'avait tué ?

Vincent ouvrit le bar. Il empoigna la bouteille de whisky. Elle était à moitié vide mais il en avait deux autres en réserve dans le placard voisin. Il les sortit également et passa dans la cuisine où il vida les trois dans l'évier.

Ce problème réglé, il revint dans le salon où il décrocha le téléphone. Le numéro de Michel était programmé, et il n'eut qu'une touche à enfoncer pour appeler la maison voisine.

– Allô ?

Michel décrocha presque aussitôt. Il ne s'était sans doute pas couché, examinant peut-être les dernières découvertes de Vincent, les analysant froidement, appréciant leur portée véritable, leur impact probable et leurs implications.

– Michel, dit-il d'une voix chargée d'excitation, c'est Vincent. C'est incroyable. Alex ne s'est pas suicidée.

– Quoi ? Comment tu le sais ? Ça t'est venu comme ça ?

En quelques mots, Vincent le mit au courant de l'existence de la lettre d'adieu que Julia avait conservée, et de son étonnement devant les nombreuses fautes qui la ponctuaient.

– Et tu te bases sur quelques fautes d'orthographe pour conclure qu'on l'a tuée ?

– Absolument ! Nous, on s'en fout un peu, mais Alexandra était super exigeante en grammaire et en orthographe. Elle disait que c'était hyper important, et c'était toujours elle qui s'occupait du courrier ici. Or Julia est comme elle. Elle s'en est tout de suite rendu compte !

– Tu vas en parler aux enquêteurs ?

– Pas encore. Le temps qu'ils reprennent l'enquête, je serai bouclé pour le meurtre de Kervalec. D'autant plus que ça me donne un sacré motif de le tuer s'il était bien l'assassin d'Alex. Ma meilleure chance est de résoudre l'affaire avant qu'on ne m'en empêche.

– Tu veux que je t'aide ?

– Pas la peine. Demain à l'aube, je me charge de la veuve.

– Ok, mais si tu as besoin de moi, tu sais où me trouver.

– Merci, mais je crois que ça va aller. Ah ! Et j'ai une bonne nouvelle.

– Dans ce contexte ?

– En fait, j'en ai deux. La première c'est que, puisqu'Alexandra ne s'est pas suicidée, je peux reporter ma rancœur et ma colère sur quelqu'un d'autre. La seconde, c'est que, sans plus de raison de culpabiliser, je n'ai plus à noyer mes remords dans l'alcool. Je ne boirai plus.

Michel ricana.

– Promesse d'ivrogne. Quand tu es sorti de chez moi, tu tenais à peine debout.

– Cette histoire m'a dégrisé. Je me sens aussi sobre que le jour de ma première communion. Et je viens de vider tous mes stocks de whisky dans l'évier.

– Tu crois pouvoir tenir le coup ?

– L'alcoolisme n'est pas une maladie, c'est un symptôme. Et le sevrage dure entre trois et sept jours. J'y arriverai. Maintenant j'ai un but, et une fille dont j'ai la responsabilité et que j'ai trop négligée ces derniers mois.

– Si tu le dis… En tout cas, tiens-moi au courant.

Sur un dernier échange de promesses de soutien mutuel, les deux amis raccrochèrent.

Vincent éteignit les lumières de chaque pièce. Il entrouvrit la porte de la chambre de Julia. Sa fille était couchée et lui tournait le dos.

– Tu dors ?

Elle ne répondit pas et il allait refermer lorsqu'il la vit bouger légèrement. Il entra et vint s'asseoir sur son lit. Elle se raidit quand il passa la main dans ses cheveux. Elle était tendue comme une corde de violon, sans doute encore sous le choc de leur découverte.

– Je ne veux pas que tu t'inquiètes, dit-il doucement. Tu n'as rien à te reprocher. Le principal est que tu m'aies remis cette lettre. Elle change tout, tu comprends ? Ni toi ni moi ne sommes responsables de la mort de ta mère. Je vais reprendre l'enquête et faire la lumière. Toute la lumière…

Julia se redressa soudain dans son lit et l'enlaça. Elle le serra contre elle à l'étouffer.

– Papa, sois prudent. Je ne veux pas que tu meures toi aussi.

– Ne t'inquiète pas. De toute façon, je crois t'avoir dit que celui qui a fait ça est déjà mort. Je vais juste m'assurer que c'était bien lui le coupable, mais je pense qu'il y a quatre-vingt-dix-neuf chances sur cent pour que ce soit le cas.

– Fais attention !

– Ne crains rien. Je suis solide comme un roc. Ah ! Je voulais te dire. Je ne boirai plus.

– C'est vrai ?

– Juré.

Elle l'étreignit si fort qu'il eut l'impression qu'elle allait lui briser les côtes. Il lui caressa doucement les cheveux et déposa un baiser sur son front.

– Dors, maintenant.

Elle le laissa aller et s'allongea. Il ressortit de la chambre et referma doucement derrière lui.

Au moment de se mettre au lit à son tour, il hésita, passa dans la salle de bains et prit une douche pour chasser les dernières traces d'alcool de son organisme. Même sa sueur était imprégnée de cette odeur.

C'est un homme quasiment neuf qui se glissa entre les draps. Un instant, sa main tâtonna à côté de lui, mais la place était vide et froide.

Quelqu'un en était responsable.

Kervalec ? Peut-être. Mais peut-être pas. Peut-être était-ce celui qui avait tué Kervalec, peut-être Kervalec était-il mort parce qu'il venait lui révéler la vérité ? Auquel cas, le meurtrier du garagiste était vraisemblablement celui qui avait aussi tué Alexandra.

Dans cette hypothèse, Vincent comptait bien découvrir son identité et le lui faire payer.

Chapitre Vingt-Huit

Vincent passa à la PJ pour poser quelques jours de congé. L'échéance approchait, il ne pouvait plus se permettre de perdre du temps. Il rassembla les pièces du dossier Kervalec, puis avertit le commissaire Castelan qu'il serait absent pour quelque temps.

– Cela ne m'arrange pas, constata ce dernier.

– Si je ne résous pas cette affaire avant la fin de la semaine, je risque de me retrouver au trou, je te manquerai encore plus, et pour plus longtemps !

Castelan sourit.

– On n'en est pas là, non ?

Vincent haussa les épaules. Il avait décidé de ne rien dire de la lettre d'adieu qu'il venait de découvrir. Cela lui donnait une longueur d'avance sur ses collègues. S'il ne parvenait pas seul à découvrir la solution, il serait toujours temps de leur en parler lorsqu'on le bouclerait. Mais il ne se faisait guère d'illusion : le mot avait été rédigé devant un meurtrier incapable de discerner le message codé qu'il contenait. Ce qui continuait à le placer en tête de la liste des suspects.

– En tout cas, je risque d'être sacrément gêné dans mes mouvements.

– Ok, prends le temps qu'il te faut. Et si tu as besoin de quelque chose, appelle.

– Merci.

Vincent prit ses affaires et le dossier Kervalec. Tout en saluant ses collègues qui prenaient leur boulot, il s'apprêtait à partir lorsque Castelan l'interpella. Surpris, il revint sur ses pas.

– Laisse ton arme ici, lui ordonna Castelan.

Cette demande le contraria, mais elle était logique. Il partait en congé pour plusieurs jours et il n'avait aucune raison d'emporter son arme. D'autre part, l'enquête qu'il allait mener était strictement personnelle. Il décrocha donc l'étui de sa ceinture et le posa sur le bureau de son supérieur.

– Prends-en soin, j'y tiens.

– Compte sur moi.

Vincent repartit. Il ne pensait pas en avoir besoin, car, de toute façon, il lui restait son arme d'été, un Smith et Wesson 60, petit revolver en acier inoxydable de calibre trente-huit, cinq coups, idéal pour planquer dans un étui de cheville ou une banane de ceinture. Discret et efficace. Celui-ci était demeuré chez lui où il pourrait le prendre en cas de besoin.

Il quitta la PJ.

Chapitre Vingt-Neuf

Le commissaire Castelan attendit que Vincent ait disparu, puis il rangea l'arme dans son tiroir qu'il ferma à clef. Son regard se porta vers son téléphone et il hésita un instant avant de le décrocher.

Il composa le numéro du commandant Monnier qui figurait sur son éphéméride depuis qu'ils s'étaient parlés.

– Ah ! fit celui-ci lorsqu'ils furent en ligne, j'allais justement vous appeler. Vous avez des nouvelles de votre gars ?

– Il sort d'ici. Il a pris quelques jours pour suivre une piste.

– Merde. Vous pouvez le rappeler ?

– Attendez.

Castelan posa le téléphone et se leva. Il passa la tête dans la grande salle commune à toute la brigade. Vincent n'y était plus.

– Vincent est parti ?

– Il vient juste de filer.

– Rattrapez-le, j'ai besoin de lui.

Marc Bouget, un de ses collègues, disparut aussitôt dans le couloir.

Castelan revint à son bureau et reprit le téléphone.

– Il n'est plus là, mais j'ai envoyé quelqu'un le chercher. Qu'est-ce que vous lui voulez, vous avez du nouveau ?

– Plutôt. J'ai même un mandat.

– C'est de la connerie. Vincent n'a pas tué votre homme. C'est idiot de l'arrêter, pensez à la presse, à l'opinion publique…

– Mon homme, je ne sais pas, mais on parle maintenant de trois cadavres, ça commence à faire beaucoup. Je pense que la presse et l'opinion publique ne comprendraient pas que le principal suspect reste en liberté, surtout s'il s'agit d'un flic.

– Trois cadavres ? Comment ça trois cadavres ? Qui sont les deux autres ?

Marc Bouget ouvrit la porte de son bureau au même instant, et Castelan n'entendit pas la réponse de Monnier.

– Commissaire, Vincent a disparu, dit Bouget.

Monnier poussa un juron à l'autre bout du fil.

Chapitre Trente

Vincent s'était contenté de poser le dossier sur la banquette arrière de sa voiture avant de quitter le parking de la PJ. Il ne vit pas Bouget qui arrivait alors qu'il s'engageait dans la circulation sans que son collègue puisse l'arrêter. Il tourna tout de suite sur la gauche, traversa la Seine pour attraper la rue de Rivoli, et prendre la direction de la Défense d'où il regagnerait Nanterre.

Et cette fois, la veuve de Kervalec lui dirait tout ce qu'elle savait : il n'avait plus le loisir de se montrer patient.

La circulation était dense et la matinée tirait à sa fin lorsqu'il arriva sur Nanterre. Il hésita à passer chez lui pour déposer le dossier et décida donc de se rendre d'abord chez la femme du garagiste afin d'en finir au plus vite. Mais ses plans furent contrariés car, en arrivant aux abords du garage Kervalec, il devina immédiatement qu'il se passait quelque chose d'anormal. Des barrières de sécurité empêchaient le passage, et il dut se garer un plus loin et terminer à pied.

Une camionnette de la police scientifique était rangée devant chez Kervalec. Tout le haut de l'immeuble avait disparu. Il ne restait que des morceaux de poutres noircies par les flammes qui avaient ravagé le bâtiment.

Vincent sortit sa carte et la montra au planton qui montait la garde devant les ruines encore fumantes. L'homme en uniforme le salua, et il lui rendit son salut machinalement.

– Qu'est-ce qui s'est passé ?

– Incendie criminel.

– Des victimes ?

– Deux. Une femme et un gosse.

– Et comment sait-on que c'est un incendie criminel ?

Le planton haussa les épaules.

– Pour l'incendie, je ne sais pas. Faudrait demander aux pompiers. Mais pour les cadavres, la femme avait une balle dans la tête. Ça ressemble pas trop à un accident.

La nouvelle assomma Vincent. Après Kervalec, on venait de supprimer sa femme et son fils. Une piste qui se refermait donc devant lui. Le planton le regardait d'un drôle d'air et Vincent se demanda quelle attitude adopter désormais.

Il n'avait rien à faire ici et sa présence ne pourrait que surprendre les techniciens de l'Identité judiciaire. Mais, s'il repartait comme il était venu, son comportement paraîtrait suspect au planton.

Son téléphone portable le tira de ce mauvais pas. Il le sentit soudain vibrer dans sa poche et le sortit en s'excusant. Le planton détourna la tête tandis que Vincent s'éloignait de quelques mètres. L'appel provenait de Julia.

Il décrocha tout en feignant d'adopter une attitude nonchalante. Le planton se désintéressait de lui.

– Papa ?

Sa fille murmurait et il avait du mal à l'entendre. Il se boucha l'autre oreille et s'éloigna de l'animation de la rue, remontant vers sa voiture.

– Julia ? Je ne t'entends pas. Qu'est-ce qui se passe ?

– Je ne peux pas parler plus fort. Je t'appelle des toilettes. En cachette.

– Pourquoi te caches-tu ? Qui est là ?

– La police. Ils ont fouillé partout. Ils ne m'ont pas dit pourquoi.

Vincent jeta un regard vers les restes du bâtiment calciné. Il avait bien son idée sur la raison de cette perquisition. Grand bien leur fasse, ils pouvaient toujours fouiller...

– Ils ont trouvé un pistolet.

– Oui, c'est normal. C'est ma deuxième arme, mon Smith & Wesson.

– Non, ce n'est pas le Smith et Wesson. Ils l'ont trouvé aussi. C'en est un autre. Il y en a deux. Le Smith & Wesson, c'est un revolver, tu m'as expliqué la différence. Celui-là, c'est un automatique. Noir, en métal. Pas un Glock non plus.

C'était impossible. Il ne possédait que deux armes, le Glock que Castelan venait de lui confisquer, et le Smith & Wesson. Si on avait découvert un automatique chez lui, c'est que quelqu'un l'y avait déposé. Et avec ce qu'il venait d'apprendre, ce n'était pas une bonne nouvelle : la police venait vraisembla-

blement de retrouver l'arme ayant servi
à tuer Kervalec et sa femme.

– Ne quitte pas.

Il jeta un dernier regard en arrière. Le
planton l'observait, commençant visible-
ment à se poser des questions à son
sujet. Vincent tourna au coin de la rue et
hâta le pas jusqu'à sa voiture.

Il s'engouffra dans le véhicule,
démarra et se fondit dans la circulation.
Son premier réflexe fut de gagner l'autoroute, mais ce faisant, il risquait de tomber plus vite dans la souricière.

Il trouva à se garer sur une place dont
il ignorait le nom et reprit le téléphone.
Un plan commençait à se former dans
son esprit.

– Tu es toujours là ?

– Oui, souffla sa fille.

– Bien, n'aie pas peur. Tout va s'arranger. C'est un malentendu. Je vais revenir
bientôt, mais aujourd'hui j'ai des tas de
choses à faire.

Il entendit un sanglot à l'autre bout du
fil et s'en voulut de ne pas être là pour
rassurer Julia. Il se jura alors qu'il pourrait bientôt lui consacrer tout son temps.
Il allait tout faire pour ça. Son premier

réflexe fut de lui dire d'aller trouver Michel, mais il risquait d'avoir besoin de lui et ne pouvait lui demander de garder sa fille s'il devait ensuite le solliciter en urgence. Il lui fallait quelqu'un d'autre. Quelqu'un de confiance... Un nom lui vint à l'esprit, comme une évidence.

– Je vais appeler Muriel, lui dit-il. Tu te souviens d'elle ? C'était une amie de Maman. Je l'ai rencontrée voici quelques jours, elle m'a parlé de toi. Elle va s'occuper de toi. Je t'aime.

– Moi aussi ! Fais attention !

– Ne t'inquiète pas. Je t'embrasse.

Il raccrocha. Un whisky lui aurait fait le plus grand bien. C'était l'heure où il commençait à boire habituellement et là, le besoin se faisait sentir. Il y avait bien un bistrot à l'angle de la place, à côté d'une banque...

Il sortit de voiture, examina un instant le bar mais il réalisa qu'il avait mieux à faire et n'avait pas de temps à perdre. Il se rendit au distributeur, retira tout l'argent que sa carte lui autorisait. De quoi vivre quelques jours. Puis il composa le numéro de Muriel en revenant à sa voiture. La jeune femme parut surprise de l'entendre, et plus encore lorsqu'il lui expliqua qu'il devait partir précipitamment et lui demandait de veiller sur sa fille. Ce n'était pas vraiment ce qu'elle avait envisagé lorsqu'elle lui avait proposé son aide. Récalcitrante tout d'abord, elle se laissa convaincre lorsqu'il lui dit avoir la preuve qu'Alexandra ne s'était pas suicidée.

– On l'a donc bien tuée ! Je le savais.

– On l'a tuée, et ce n'est pas moi. J'ai besoin de quelques jours pour faire la lumière sur tout ça, mais la police veut me coller une sale affaire sur le dos.

– Mais, c'est toi la police !

– Écoute, c'est trop long à t'expliquer. La femme et le fils du type qui s'est fait descendre près de chez moi à Cabourg ont été tués cette nuit, et mes collègues sont en train de perquisitionner mon domicile. Si je rentre, ils vont me boucler et je vais perdre un temps précieux à tenter de me justifier. Je serai plus utile dehors. Acceptes-tu, oui ou non, de t'occuper de Julia ? Fais-le pour Alexandra si tu ne le fais pas pour moi. On doit retrouver son assassin, et je suis le mieux placé pour ça.

– Bien sûr. Je file chez vous de ce pas. Je te rappelle dès que c'est réglé.

– Non, moi je te rappellerai. Je vais couper mon portable pour ne pas être repéré.

– Mais, bon sang, tu es vraiment en cavale ?

Il soupira.

– On peut dire ça comme ça.

– Tu as besoin de quelque chose ?

– Juste que tu veilles sur Julia quelques jours. Ce sera vite réglé, dans un sens ou dans un autre.

– Tu ne vas pas faire de connerie, au moins ?

– Crois-moi, je n'en ai pas l'intention. Je veux juste retrouver le responsable de tout ce merdier. Et je vais le faire. Tu t'occupes de ma fille, je compte sur toi ?

– Promis.

Ils raccrochèrent sur cette promesse, et Vincent composa aussitôt le numéro de portable du commissaire Castelan.

– Vincent ? Où es-tu ? Monnier te cherche.

– Écoute, je n'ai que quelques minutes, et pas de temps à perdre. Je pars quelques jours. Je dois vérifier quelques points.

– Ne fais pas le con, Monnier a trouvé un nouveau lien entre Kervalec et toi.

– Lequel ?

– Son fils allait dans la même école que ta fille.

Vincent n'était pas au courant. Peut-être Alexandra l'avait-elle su ? Peut-être était-ce là qu'elle avait fait la connaissance de Kervalec ?

– Il y a plus grave.

– Quoi ?

– La veuve de Kervalec a eu un accident.

– Je sais, je viens d'y passer. Le planton m'a parlé d'une balle dans la tête. Tu parles d'un accident !

– Vincent, tu dois revenir. Si tu te tires, tu te mets en très mauvaise position.

– Je n'ai pas le choix. Si je me livre, je vais me retrouver en détention.

– Mais non…

– Mais si. Merci pour tout. Et je te jure que je ne suis pour rien dans tout ça. Je te tiendrai au courant.

Vincent raccrocha et coupa son portable. Pour faire bonne mesure, il en ôta également la batterie. Bien malin qui le repérerait maintenant. Il préférait ne pas courir de risques inutiles et quitta aussitôt le parking. Il appellerait Michel d'une cabine. Puis il alla faire le plein dans une station-service, acheta une carte routière de la France, trois bouteilles d'eau et diverses barres d'aliments qu'il pourrait garder plusieurs jours. Il régla le tout avec sa carte Visa qu'il utilisait pour la dernière fois. À partir de maintenant, il paierait toutes ses dépenses en espèces.

Il ouvrit le dossier de Kervalec, vérifia son lieu de naissance : un village près de Pontivy. Il déplia la carte : la nationale 12 ferait mieux l'affaire que l'autoroute, et il passerait plus facilement inaperçu. Il était sans doute trop tôt pour que des barrages routiers aient été mis en place, il n'était tout de même pas l'ennemi public numéro un. De longues heures de route l'attendaient.

Pour la première fois depuis un an, il avait l'esprit clair et se sentait animé d'une énergie farouche. Il était sur la piste du meurtrier de sa femme, et ne s'arrêterait pas avant d'avoir fait toute la lumière sur ce qui s'était passé. En espérant que cela lui permettrait d'identifier l'assassin de Kervalec, et, en conséquence, de prouver son innocence.

Chapitre Trente et Un

Vincent s'arrêta à l'entrée de Pontivy. Il avait écouté la radio durant tout le trajet, à l'affût du moindre bulletin d'informations. On avait évoqué à chaque fois le double meurtre de Nanterre et indiqué qu'un suspect était recherché mais sans donner plus d'indications. Il en déduisit que son identité n'avait pas été communiquée à la Presse. La « grande maison » préférait laver son linge sale en famille, et on ne diffuserait sa photo à la télévision qu'en dernier recours si on ne parvenait pas à le capturer après plusieurs jours de traque. Pour l'instant, on devait avoir bloqué les frontières et les gendarmes devaient scruter les visages des conducteurs aux péages des autoroutes. Pour l'heure, il pouvait donc sans doute se considérer comme relativement tranquille, à condition de prendre quelques précautions.

C'est pourquoi il se rendit dans un supermarché où il fit l'acquisition d'un sac de voyage, de taille raisonnable, qui lui permettrait de descendre dans un hôtel sans éveiller les soupçons du réceptionniste. Il profita de l'occasion pour s'équiper également de sous-vêtements et de chemises. De quoi tenir deux jours, ensuite il aviserait. Si son enquête n'avait pas progressé, il ne lui resterait sans doute pas d'autre option que de se constituer prisonnier et d'abandonner les rênes à ses collègues. Devant le rayon des spiritueux, il eut une hésitation. La soirée promettait d'être longue et il n'avait rien bu depuis la veille.

Un petit verre ne changerait pas grand-chose ? Il n'était pas obligé d'acheter une bouteille, une flasque suffirait, juste cinquante centilitres...

Il se détourna. Il n'avait plus besoin de ces béquilles. Dans trois jours, son corps ne ressentirait plus le manque. Il devait tenir. Il avança vers la sortie, les mâchoires serrées, jusqu'à ce qu'un grand calme l'envahisse tout à coup. Comme s'il venait de pénétrer dans un autre univers, ou comme si quelqu'un s'était soudain trouvé à ses côtés pour l'aider à pousser le caddie, loin des rayons tentateurs. L'esprit soudain apaisé, il passa à la caisse. Il était le seul client et la caissière ne leva même pas la tête en enregistrant ses achats. Il paya en espèces, s'éloigna sans avoir suscité le moindre signe d'intérêt de la part de cette personne qui ne devait penser qu'à l'heure de la sortie.

Dans la galerie marchande, un magasin de vêtements faisait des promotions. Il entra, essaya une veste de couleur gris clair. Ce n'était pas de la meilleure qualité, mais tout ce qu'il voulait c'était changer d'apparence. Elle ferait l'affaire. Lorsqu'on diffuserait son signalement, on parlerait d'un costume noir.

Il s'agissait de peu de choses, mais ces détails pouvaient faire la différence entre pouvoir passer incognito et le risque de se faire repérer immédiatement. De retour au parking, il mit sa veste noire dans le sac de voyage, arracha les étiquettes de celle qu'il venait d'acheter et l'enfila.

Il était paré pour trouver un hôtel pour la nuit sans trop attirer l'attention. Un établissement simple, apprécié des voyageurs de commerce. L'idéal aurait été un de ceux où l'on règle par carte à l'entrée. Mais, s'il utilisait sa carte Visa ce soir, il risquait de trouver des gendarmes au pied de son lit, le lendemain matin. Il y a de meilleurs réveils pour un OPJ.

Chapitre Trente-Deux

Au petit matin, sa chambre était calme. Il resta un moment allongé, les sens à l'affût du moindre bruit pouvant trahir une présence dans le couloir ; il n'entendit que les écoulements des baignoires aux différents étages du Formule 1 où il avait trouvé refuge.

Comme il s'y attendait, la télévision n'avait pas encore diffusé sa photo, et les présentateurs des journaux qu'il avait regardés la veille au soir, n'avaient fait que reprendre ce que la radio avait déjà annoncé dans le courant de la journée : une femme et son fils avaient été assassinés, la nuit précédente, et on recherchait un suspect.

Il aurait voulu appeler Julia pour lui parler, ou Castelan pour tenter de se justifier avec plus de détails que lors de leur dernière conversation, mais son appel

serait localisé dans la minute et les pan-
dores du coin seraient trop heureux de
monter des barrages dans toute la région
pour arrêter un flic de la PJ. Ils
n'auraient pas fini d'en rire lors des longues soirées de garde.

Non, il était seul et devrait terminer
seul ce travail. Dans un premier temps, il
irait trouver les parents de Kervalec et
voir ce qu'ils pourraient lui apprendre.

Il avait l'impression de se débattre
dans le vide, de se battre contre des
moulins à vent. Qu'est-ce que Michel lui
disait toujours ? « Tu fonces sans réfléchir. Arrête-toi et prends le temps de raisonner latéralement. Tu es un bélier et tu
te cognes contre les murs. Apprends un
peu la ruse et la patience. »

Facile à dire. En ce moment, il n'avait
pas le choix. C'était une question de
rapidité. Il devait agir et agir vite. Chaque minute qui passait était mise à
profit par ses collègues pour resserrer la
nasse qui le prendrait au piège. Et
même s'il ne croyait pas beaucoup aux
erreurs judiciaires, il avait tout de même
connu des cas où des innocents avaient
eu toutes les peines du monde à se dis-

culper. Et certains avaient des dossiers moins lourds que le sien.

Il rejeta les couvertures et se leva. Le temps de passer sous la douche, et il repartirait en quête.

« Bille en tête ».

Chapitre Trente-Trois

C'était un petit village breton comme il en existe des centaines, situé à quelques kilomètres de Pontivy. Deux routes départementales s'y croisaient entre deux collines au milieu de nulle part : la forêt d'un côté, les champs et les vergers de l'autre. Et un vent à décrocher le clocher de l'église appuyée contre un petit cimetière où les croix celtiques, couvertes de mousse, cédaient la place à des monuments plus modernes. Vincent gara sa voiture sur un parking désert à droite de l'entrée du cimetière.

Il traversa la petite place entourée de maisons de pierre grise, semblables à une formation de guerriers barbares arc-boutés contre la tempête. Il descendit jusqu'à l'unique commerce, dont l'étroite vitrine poussiéreuse croulait sous un bazar hétéroclite d'ustensiles de toutes sortes. Devant l'entrée, une enseigne métallique annonçait la une de *Ouest-France* et grinçait dans le vent. Au fond de la boutique, Vincent distingua un grand panier en fer accroché au mur, rempli de quelques baguettes de pain attendant le client.

Au-dessus de la porte, on pouvait lire en lettres défraîchies « Épicerie, Quincaillerie, Journaux ». « Dépôt de pain » avait été rajouté sur un carton que le temps avait jauni, scotché sur la porte et oublié là depuis des lustres.

Une femme sans âge, vêtue de noir comme un corbeau, traversa la place et entra dans l'église.

Vincent lui emboîta le pas. Pour ce qu'il cherchait, le curé lui serait plus utile et peut-être moins enclin que l'épicier-droguiste-libraire-marchand-de-pain à appeler les flics lorsqu'il découvrirait sa photo aux informations télévisées, un de ces soirs.

Vincent n'était pas spécialement religieux. Élevé dans la foi catholique, son expérience professionnelle lui avait fait souvent douter de l'existence d'un Dieu juste et bon. Si celui-ci existait, il l'imaginait plutôt sous les traits d'un vieillard sournois, prompt à se réjouir du malheur des hommes et faisant tout son possible pour les faire trébucher.

Mais dans l'église, il se sentit soudain apaisé. Comme s'il venait de pénétrer un nouvel univers. Il repensa à ce qu'il venait de vivre au supermarché, comme s'il n'était plus seul, comme s'il s'était senti accompagné. Il se demanda si Alexandra, quelque part, ne lui envoyait pas un message.

La femme en noir était occupée à allumer un cierge. Elle lui jeta un regard doublement surpris, sans doute en raison de sa présence dans l'église en cette heure matinale, et parce qu'il était totalement « étranger ».

Vincent ne voulait pas l'offenser, mais il n'avait pas non plus l'intention de se signer en passant devant l'autel. Il remonta donc le long du mur en direction d'une petite porte ouverte au fond de la nef.

Il sentit le regard de la femme fixé dans son dos, et sut d'instinct que celle-ci se souviendrait de son passage ici lorsque viendrait le temps de témoigner.

Vincent s'arrêta sur le seuil de ce qui devait être la sacristie et frappa deux coups à la porte. Un homme en soutane apparut, la soixantaine maigre, des petites lunettes rondes démodées, mais qui lui donnaient malgré tout un air d'intellectuel.

– Je peux vous aider ?

– Bonjour, je suis policier. Je cherche à contacter la famille d'un homme qui est né ici, je me suis dit que vous pourriez m'aider.

– C'est possible. Comment s'appelle cet homme ?

– Kervalec. Yvon Kervalec.

– L'homme qui a été assassiné la semaine dernière ?

– C'est lui. J'enquête sur sa mort, je dois interroger sa famille. Vous les connaissez ? Vous savez où je peux les trouver ?

– Bien sûr. J'ai même connu Yvon.

Vincent sentit son rythme cardiaque s'accélérer. Il avait frappé à la bonne porte. Avec un peu de chance, toute cette histoire serait terminée dans quelques heures.

– Il faut absolument que je leur parle.

– Ça, je crois que ça va être difficile.

Chapitre Trente-Quatre

Les deux tombes se trouvaient au pied du mur d'enceinte du cimetière. Très simples, une petite dalle de marbre pour chacune, et une simple croix avec un médaillon contenant la photo du défunt. Les dates de décès remontaient à quelques années.

– Les parents d'Yvon, expliqua le curé. Elle est morte de vieillesse, il l'a suivie six mois plus tard. C'étaient de braves gens.

Vincent resserra sur lui les pans de sa veste que le vent tentait d'écarter. Sa recherche, à peine commencée, s'arrêtait déjà. Il n'en apprendrait pas plus sur Yvon Kervalec. Il rageait. Il se tourna vers l'église et lui jeta un regard noir. Le vieillard devait bien se marrer, là-haut.

Le curé surprit son expression et parut lire dans ses pensées.

– Vous semblez très affecté par l'annonce de leur mort. Qu'est-ce que vous attendiez d'eux ?

Vincent hésita.

– C'est une longue histoire, dit-il finalement. Leur fils a été tué juste devant chez moi où j'ai découvert son corps. Et il avait mon adresse dans sa poche. Il venait me voir. Je cherche à découvrir ce qu'il venait me dire.

Le curé consulta sa montre. Il réfléchit un instant, puis proposa :

– J'ai un peu de temps devant moi, voulez-vous que nous rentrions prendre un café ?

Vincent n'avait pas pris de petit déjeuner pour ne pas laisser le souvenir de son visage aux autres clients de l'hôtel, se contentant d'une barre de Nuts et d'une gorgée d'eau consommées dans sa chambre.

– Ce sera avec plaisir, dit-il.

De toute façon, il n'avait rien d'autre à faire. Avec cette piste qui se refermait, il pouvait aussi bien se livrer ce matin. Entre temps, il aurait au moins pris un bon café.

– Et vous en profiterez pour m'en dire un peu plus, ajouta le curé en le précédant entre les tombes.

Chapitre Trente-Cinq

Le presbytère était une vieille maison basse, au toit d'ardoise, appuyée contre le mur du cimetière. L'intérieur était chaleureux quoique sommairement meublé. Le curé le fit entrer dans un petit salon où deux profonds fauteuils les attendaient. Vincent se laissa glisser dans le plus proche et promena un regard curieux autour de lui, tandis que le prêtre passait dans sa cuisine d'où parvint bientôt le bruit du crachotement régulier d'une cafetière en pleine action.

La salle était basse de plafond, garnie de vieux meubles de campagne à l'aspect fonctionnel. Une grosse table en bois occupait un angle devant un grand bahut, tandis qu'à l'opposé, avait été aménagé le coin salon où Vincent s'était installé, les deux fauteuils faisant face à un petit téléviseur. Devant lui se trouvait une table basse où traînaient quelques journaux et magazines : *Ouest-France*, *La Croix*, *Le Pèlerin* et *Rustica*.

Le curé revint avec deux tasses qu'il posa entre les journaux.

– Le café sera prêt dans une minute, dit-il. Yvon est donc venu mourir devant chez vous.

– Il est venu se faire assassiner devant chez moi.

Vincent n'avait pas l'intention d'en dire beaucoup à ce curé mais, d'un mot à l'autre, une précision en entraînant une autre, il finit par lui raconter toute l'histoire. Le café était bon, et son hôte se releva deux fois pour remplir sa tasse.

L'homme d'église savait écouter et se garda d'émettre le moindre commentaire, le moindre jugement. À la fin de son récit, Vincent se sentit soulagé. À part Michel, à qui il avait tout raconté, ce curé était la première personne avec laquelle il pouvait parler en toute liberté, sans être dérangé.

– Et voilà pourquoi je suis venu frapper à votre porte, conclut-il.

– Pardonnez-moi, mais je ne vois pas bien quel est le but de votre quête. J'ai bien compris que vous ne faites pas confiance à vos collègues pour résoudre cette énigme...

– Ce n'est pas un manque de confiance, c'est juste que je pense être le mieux placé pour découvrir rapidement la vérité. Et comme je suis pris par le temps...

– Si vous voulez. Mais en quoi l'enfance d'Yvon pourrait-elle vous éclairer sur les circonstances de sa mort ?

– Honnêtement, je ne sais pas. Mais c'est ma seule piste. Je voulais interroger sa veuve, mais elle vient d'être tuée, elle aussi, sans doute par la même personne.

– Si je vous ai bien entendu, cet homme avait de mauvaises fréquentations. Est-ce que l'un des mauvais garçons à qui il avait affaire, ne pourrait pas être responsable de sa mort, et de celle de son épouse ? Il m'arrive de regarder des feuilletons policiers, et les règlements de comptes entre truands y sont fréquents...

– C'est une possibilité. Si tel est le cas, l'enquête le dira. Mais c'est un aspect sur lequel je ne peux pas faire de recherche. Pour l'instant, c'est moi qu'on soupçonne. Et quelqu'un a placé chez moi un pistolet qui ne m'appartient pas.

Le curé le regarda lorsqu'il lui rappela ce détail, comme s'il se demandait soudain s'il était bien prudent de demeurer seul dans son presbytère avec un homme recherché et soupçonné de meurtre.

– La piste du passé est la seule sur laquelle je puisse enquêter, poursuivit Vincent.

Il n'avait pas bu depuis longtemps et se sentait l'esprit clair. Les trois cafés le rendaient un peu fébrile, mais il avait la sensation d'avoir enfin récupéré une partie des facultés de son cerveau, émoussées depuis plusieurs mois. Au fur et à mesure qu'il s'expliquait devant ce prêtre, ses idées s'ordonnaient, s'éclaircissaient, prenaient forme... Il réalisait que ce qu'il avait fait d'instinct, en fonçant droit devant lui comme le lui reprochait souvent Michel, était une bonne chose, la meilleure des conduites à adopter en l'occurrence.

– Je ne connais pas ce type. Son chemin a croisé celui de ma femme. Ils ont partagé quelque chose. Au point de la faire pleurer dans un restaurant. Quoi ?

Je l'ignore. Malgré les éléments découverts chez lui, je ne pense pas qu'ils aient été amants. Mais il avait un pouvoir sur elle. Un pouvoir suffisant pour l'emmener déjeuner dans une auberge sans qu'elle m'en parle. Après quoi, elle est assassinée. Par lui ? Sans doute. Peut-être. Mais pourquoi ? Juste après la mort de ma femme, Yvon Kervalec plonge pour une histoire de recel. Il prend un an de prison, sort la semaine dernière et fonce droit chez moi. Là, il est tué. Je pense qu'il venait me dire quelque chose.

– Ou vous tuer ?

– Il n'avait pas d'arme sur lui.

– L'assassin a pu la lui voler.

– On en a retrouvé une chez lui. Il pouvait en avoir deux… Mais je n'y crois pas. Je pense que s'il venait pour me tuer, il aurait eu sur lui l'arme que l'on a découverte à son domicile.

– Cela se tient…

Vincent réalisa soudain qu'ils jouaient à une espèce de Cluedo. Mis en confiance par le prêtre, il lui avait tout raconté de sa vie, s'était épanché, avait évoqué son alcoolisme, son amour pour sa fille et pour sa femme, la tentation du sui-

cide... Il prit conscience de la force de
cet homme d'Église, et il comprit
l'ascendant qu'un simple curé de campagne pouvait avoir sur ses paroissiens.
Il était temps de recadrer cette conversation.

– Quoi que je fasse, le présent me
mène à une impasse. Chaque piste que je
suis s'avère sans issue. Ma seule solution
était donc de remonter dans le passé de
Kervalec, depuis sa naissance jusqu'à sa
rencontre avec mon épouse, puis
jusqu'au jour où Alexandra a été tuée.
L'a-t-il tuée ou non ? Sinon, quel rôle a-t-
il joué dans sa mort ? C'est ce que je veux
découvrir. Leur rencontre, ce jour-là, ne
peut pas relever d'une simple coïncidence. Pour comprendre pourquoi ma
femme est morte, je dois comprendre
pourquoi on a assassiné Yvon Kervalec.
Donc découvrir le secret dans sa vie qui
pouvait justifier qu'on le tue. Vous l'avez
connu ?

Le curé regarda Vincent un instant,
réfléchit, posa sa tasse vide dans la soucoupe devant lui et se laissa aller en
arrière dans le fauteuil, en joignant les
mains.

– Je l'ai connu, admit-il. Il est né ici, comme vous le savez. Ses parents, de braves gens, pas très riches, faisaient de leur mieux pour élever ce fils unique, pas très brillant. C'est à peu près tout ce que je peux vous dire de lui.

Vincent tenta de dissimuler son désappointement. Tout ça pour ça ?

– C'est tout ? Vous savez forcément autre chose… Quand a-t-il quitté le village ? Qui fréquentait-il ? Avait-il des amis que je pourrais rencontrer ?

– C'était un garçon taciturne, assez solitaire.

Le curé le regarda en paraissant hésiter. Vincent était convaincu qu'il savait quelque chose mais qu'il ne voulait pas le lui révéler.

– Il s'est confessé à vous, risqua Vincent, mais vous ne pouvez pas en parler ?

– Le secret de la confession…

Vincent leva la main.

– Je sais, je sais. Ce n'est pas ce que je vous demande. Mais sans me dévoiler ce qu'il vous a dit, vous pouvez peut-être m'orienter… J'ai une fille de douze ans, je lui dois la vérité sur la mort de sa mère. Et accessoirement, je pense qu'elle préfèrerait ne pas voir son père en prison pour un meurtre qu'il n'a pas commis.

L'argument parut toucher le prêtre. Il prit une profonde inspiration.

– Yvon n'était pas très bon élève, comme je vous l'ai dit. Il aurait dû finir paysan, ouvrier... Mais ses parents voulaient ce qu'il y avait de mieux pour lui. Ils ont fait des sacrifices pour l'inscrire dans une école privée. Yvon est parti à Pontivy. Il devait avoir treize ou quatorze ans.

Vincent ne disait rien. Le prêtre lui livrait à contrecœur cette partie de la biographie de Kervalec. Sous son aspect anodin, Vincent devinait qu'il dévoilait là le cœur du problème de l'homme venu mourir devant chez lui.

– Il n'y est pas resté très longtemps, deux trimestres peut-être. Il est rentré ici avant la fin de l'année scolaire. Il est revenu changé. Ses résultats ne s'étaient pas améliorés, et son caractère était devenu encore plus... sauvage.

Le curé le regarda dans les yeux et se tut.

– Et... Et c'est tout ?

– Que voulez-vous que je vous dise de plus ?

– Ensuite, après son retour, que s'est-il passé ?

– Oh, il a vite quitté le village. Il a été placé comme apprenti chez un garagiste d'une ville voisine, et on ne l'a quasiment plus revu.

Vincent dissimulait mal sa frustration. Le prêtre semblait en avoir terminé. Quel message avait-il tenté de lui faire passer ? Il devait en savoir davantage. Mais l'homme se taisait, apparemment convaincu d'être allé aussi loin que possible sans trahir les secrets qui lui avaient été confiés. S'il lui avait révélé ces quelques éléments, c'est qu'il les pensait déterminants dans le développement ultérieur de la personnalité d'Yvon, et donc dans son histoire.

– Bien, conclut Vincent. Merci pour votre accueil. Vous avez le nom de cette école ? C'est une école catholique, je suppose ?

– C'était. Elle a fermé il y a une quinzaine d'années à la mort de sa directrice.

Incroyable. Il allait devoir chercher dans les archives d'une école disparue.

Le prêtre parut lire son désarroi sur ses traits. Le visage totalement neutre, il abattit sa seconde carte.

– Peut-être pourriez-vous rencontrer un ancien élève ? Un condisciple d'Yvon qui pourrait peut-être vous parler de lui...

Beaucoup de « peut-être », mais Vincent n'avait pas le choix. Il n'était pas en position d'exiger quoi que ce soit, ni d'imposer ses volontés. Il devait se raccrocher à tout ce que l'on voudrait bien lui donner, même si, de prime abord, cela lui paraissait négligeable...

– Pierre Le Gloaenec. Ses parents possédaient une ferme à la sortie du village. C'est pour suivre leur exemple que les parents d'Yvon l'ont inscrit dans cette école.

– Et où puis-je trouver ce Pierre Le Gloaenec ? Il a émigré en Papouasie ?

Le curé sourit.

– Allons, faites un peu confiance à la providence. Pierre a repris la ferme de ses parents. C'est à cinq kilomètres d'ici.

Chapitre Trente-Six

L'air frais qui régnait à l'extérieur contrastait avec l'atmosphère chaleureuse du presbytère, et Vincent referma machinalement sa veste. Tout son esprit était focalisé sur ce qu'il venait d'apprendre. Aucun rapport, sans doute, avec ce qu'il cherchait. Manifestement, le curé savait quelque chose d'important qu'il n'avait pas voulu lui révéler.

Les indications qu'il lui avait fournies étaient claires, et Vincent ne doutait pas de parvenir aisément à la ferme de Le Gloaenec. Il allait regagner sa voiture lorsqu'il remarqua une cabine téléphonique de l'autre côté de la place, vestige d'une époque où l'on n'était pas encore devenu esclave des « mobiles ».

Il s'approcha sans y croire et, miracle des miracles, elle fonctionnait encore avec des pièces, et pas avec une de ces cartes prépayées que les banques facturent sans vergogne à leurs clients. Bénissant cette survivance d'un temps révolu, Vincent fouilla ses poches en quête de monnaie et entra dans l'habitacle.

Michel décrocha à la troisième sonnerie. Vincent l'avait appelé sur sa ligne fixe. Il ne pensait pas que ses collègues aient déjà obtenu une commission rogatoire pour placer le numéro de Michel sur écoute. Pour le portable, c'était plus aléatoire en raison des « bornages » et de l'informatique des opérateurs. En l'occurrence, le réseau filaire était sans doute le plus sûr pour lui, pour le moment du moins.

– C'est moi, dit-il simplement.

Il ne lui avait pas parlé depuis sa fuite de la veille, lorsqu'il l'avait appelé d'une cabine à la sortie de Nanterre.

– Bon sang, où tu es ? Ils ont mis ta maison sens dessus dessous !

– Et ma fille ?

– Ta copine est venue la chercher. L'amie d'Alexandra.

– Muriel. C'est bien. Tu as du nouveau ?

– Que veux-tu que j'aie ? Je ne fais plus partie de la maison depuis trop long-temps. J'ai dû me contenter de regarder par-dessus la haie tandis qu'on embar-quait ton ordinateur et des bricoles dans des cartons. C'est tout juste si on ne m'a pas dit de rentrer chez moi ! Et toi ? Tu as avancé ? D'où appelles-tu ?

– De Bretagne. Du village où est né Kervalec.

– Tu as trouvé quelque chose ?

– Les parents de Kervalec sont morts, mais j'ai pu parler au curé qui l'avait connu. Apparemment, il s'est passé quel-que chose dans l'enfance de Kervalec.

– Dans son enfance ? Mais quel rap-port avec ce qui t'arrive aujourd'hui ?

– Aucune idée pour le moment. Peut-être aucun. Je vais voir un type, un cer-tain Le Gloaenec, qui a connu Kervalec dans sa jeunesse. Ils étaient ensemble dans une école privée catho.

– Tu soupçonnes les bonnes sœurs communistes ?

– Ou un curé pédophile. Je n'en sais rien. Tout est possible. D'après le prêtre que je viens de voir, la vie de Kervalec a basculé après son séjour dans cette école. Il est parti à peu près normal. Le gosse sans histoire, pas très doué mais dans la moyenne, en est revenu agressif, renfermé. Et il a quitté son village.

– Et tu crois que ça a un rapport avec sa mort ? Trente ou quarante ans plus tard ? Tu rêves !

– En tout cas, c'est un point à éclaircir. Je remonte la vie de ce type. Je viens de tomber sur un premier nœud, Le Gloaenec devrait pouvoir le dénouer.

– Et si ce n'est pas le cas ?

– Alors, je serai dans la merde.

Un silence pesa sur leur conversation. Si la piste s'arrêtait là, Vincent devrait s'en remettre à ses collègues pour poursuivre l'enquête, alors qu'ils le considéraient comme le suspect numéro un.

L'appareil émit un bip de protestation et Vincent lui glissa une dernière pièce.

– Ça va couper, constata-t-il. Je ne peux pas appeler Julia, son portable et la ligne de Muriel doivent être sur écoute. Peux-tu la joindre pour moi et la rassurer, lui dire que je l'aime et que je vais bientôt rentrer ?

– Bien sûr. Je passerai la voir, si tu veux.

– Ce serait super.

Vincent lui donna les coordonnées de Muriel avant de raccrocher.

Les nuages assombrissaient le village lorsqu'il ressortit de la cabine. Il récupéra sa voiture, s'orienta rapidement et démarra en direction de la ferme de Le Gloaenec.

Chapitre Trente-Sept

Vincent reconnut la vieille ferme forti-
fiée dès qu'elle apparut au sommet de la
colline, conforme à la description four-
nie par le curé. Quatre bâtiments bas
aux fenêtres étroites entouraient une
cour dont l'accès était défendu par une
imposante porte de chêne qui n'avait pas
dû être fermée depuis des lustres. Dans
un angle, un pigeonnier se donnait des
airs de tourelle.

Un vieux chien accourut et vint à son
devant, la queue battant l'air pour manifester sa joie de voir un visiteur.

Vincent descendit de voiture dans la
cour de la ferme et le chien, au pedigree
improbable, vint lui lécher la main. Il se
laissa faire en examinant l'ensemble des
bâtiments. De ce côté-ci, l'endroit paraissait plus accueillant. Les fenêtres étaient
plus larges, ornées de rideaux et même

de quelques bacs où les fleurs avaient abandonné le combat face aux plantes sauvages.

Sur sa gauche, un hangar abritait plusieurs véhicules agricoles, une moissonneuse-batteuse, et d'autres à la destination moins évidente. Le tout paraissait plus ou moins à l'abandon.

Une porte s'ouvrit dans le bâtiment du fond, et un homme en sortit. Grand, brun, environ la soixantaine. Malgré l'heure tardive, il n'était pas rasé et ne paraissait pas habillé pour aller aux champs. Il regarda l'intrus, sans bouger de sa place, mais sans hostilité non plus.

Vincent abandonna le chien et s'avança vers lui.

– Bonjour, je suis Vincent Brémont, capitaine de police. Vous êtes bien Pierre Le Gloaenec ?

Il sortit sa carte et la montra brièvement avant de la rempocher. Les sourcils de son interlocuteur se froncèrent légèrement.

– Oui, c'est moi. Qu'est-ce que vous me voulez ?

– Rien de grave, ne vous inquiétez pas. En fait, j'enquête sur une vieille histoire qui remonte à votre enfance. Je cherche des renseignements sur un de vos anciens condisciples, Yvon Kervalec.

Le soulagement de Le Gloaenec fut perceptible.

– Yvon ? Ça fait bien longtemps que je ne l'ai pas vu.

– Il est mort.

– J'en ai entendu parler, c'est vrai. Il a été tué, non ?

– Abattu d'une balle de revolver. D'où mon enquête. On peut entrer pour discuter tranquillement ?

Le Gloaenec examina la proposition comme si elle risquait de l'entraîner plus loin qu'il ne l'aurait désiré, avant d'accepter en désignant la porte qu'il venait de franchir.

– Vous tombez bien, je viens de faire du café.

Vincent sentit son estomac protester mais ne dit rien. Il prendrait bien un quatrième café si cela devait lui permettre de se concilier les bonnes grâces de cet homme.

La pièce principale où ils entrèrent tenait à la fois de la cuisine et de la salle à manger et semblait écrasée par les grosses poutres noires du plafond. Le mobilier, plus ancien encore que celui du presbytère, était d'un bois très sombre et contribuait à rendre l'atmosphère étrange.

L'endroit semblait convivial, mais on le sentait dénué de vie, comme si toute joie l'avait déserté depuis longtemps.

Sur le manteau d'une cheminée assez large pour y enfourner un demi-tronc d'arbre, trônait une photo de mariage. On y reconnaissait Le Gloaenec, avec trente ans de moins, au bras d'une jolie brune.

– C'était ma femme, précisa Le Gloaenec. Elle m'a quitté l'an dernier. Cancer foudroyant.

– Je suis désolé, dit Vincent. Ma femme aussi… L'an dernier…

– Ah ?

Un silence gêné tomba sur la pièce.

– Vous le prenez noir ? demanda Le Gloaenec en se tournant vers la cafetière.

– Oui, s'il vous plaît.

Vincent s'assit à la table et examina le décor qui l'entourait.

– Vous vivez seul ?

– Oui. Mes enfants sont partis vivre à Rennes. Pontivy n'était pas assez grand pour eux.

Vincent hocha la tête pour montrer qu'il comprenait. En tout cas, malgré sa solitude, le paysan n'avait pas sombré dans l'alcool, contrairement à lui. Et pourtant, sa ferme paraissait sur le déclin, sa femme était décédée récemment, et ses enfants partis... La vie ne devait pas être très gaie pour lui, seul dans ces grands bâtiments avec son chien pour toute compagnie.

Comme s'il avait lu dans ses pensées, Le Gloaenec proposa :

– Vous voulez une petite goutte pour accompagner le café ?

Une petite goutte. Un alcool de poire ou de pomme, quelque chose dans les cinquante degrés. Juste de quoi se donner un coup de fouet pour attaquer la deuxième partie de la journée. Vincent résista à l'envie violente qui lui fouaillait les entrailles.

– Non. Non, merci.

Dieu que ces simples mots étaient difficiles à articuler.

Le Gloaenec posa deux tasses sur la table et une boîte contenant du sucre en morceaux. Il ouvrit le tiroir, sortit deux cuillères et en tendit une à Vincent.

– Donc, vous enquêtez sur Yvon.

– C'est ça. Il a été assassiné, et on cherche qui pourrait bien l'avoir tué. Je suis chargé d'enquêter sur son passé. Vous êtes allés à l'école ensemble ?

– Vous remontez si loin ? Je pensais qu'on cherchait plutôt parmi les proches quand il y avait un meurtre.

– Mes collègues s'occupent de ça, moi j'ai pour mission de retracer son histoire. Cette école…

– Bah, y'a pas grand-chose à en dire.

– Vous y êtes resté plusieurs années ?

– Trois ou quatre. Jusqu'au bac. Non, ça fait cinq. Depuis la quatrième.

– Alors qu'Yvon Kervalec l'a quittée dès la première année ?

Le Gloaenec lui jeta un regard en biais.

– Vous savez ça ?

– Je ne suis pas venu par hasard. Je ne frappe pas à n'importe quelle porte espérant que quelqu'un va me dire quelque chose. Qu'est-il arrivé cette année-là ?

Le Gloaenec but une gorgée de café, se donnant manifestement le temps de réfléchir. Puis, il reposa sa tasse avec un geste d'impuissance.

– De toute façon, tant de temps a passé...

Il porta son regard vers la photo de mariage, comme s'il craignait que sa femme entende ce qu'il allait dire.

– Dès le début, Yvon a eu des problèmes. Il ne s'est pas intégré. Il n'avait rien à faire dans cette école et il le savait. Et les autres l'ont très vite remarqué.

– Les autres ?

– Tous les autres. Moi y compris. Je sais que j'aurais pas dû, mais vous savez comment c'est ? On se laisse entraîner, on est jeune et idiot, on se croit tout permis... Moi, bien sûr, je le connaissais, je suppose que j'aurais dû le défendre, le protéger puisqu'il venait de mon village. Mais vous voulez que je vous dise ? J'étais mort de trouille. Mort de trouille à l'idée qu'on puisse m'associer à lui et me rejeter moi aussi.

– Les autres le rejetaient ?

– L'envoyer dans cette école était une erreur. Ses parents se saignaient aux quatre veines pour en payer la scolarité, mais pour nous, il était évident qu'il restait un fils de pauvre. Moi, je le savais, évidemment, mais les autres l'ont deviné tout de suite. Cela se voyait à ses vêtements trop neufs qu'il faisait attention à ne pas abîmer pour les faire durer le plus possible. Il portait des imitations d'imitations de ce qu'on trouvait dans les meilleures boutiques. Oh, on n'était pas tous bien habillés, mais la qualité se distinguait, même sous les vieux pulls.

– Et c'est pour ça qu'il a eu des problèmes ? Parce qu'il était pauvre au milieu de fils de bourgeois et de notables ?

– Au début, oui. Et puis, c'est vite devenu une manie, une habitude. Aujourd'hui, on parlerait de harcèlement. À l'époque, on parlait de bizutage, de souffre-douleur. Les pions fermaient les yeux. Tant qu'on s'en prenait à Yvon, on leur foutait la paix.

– Et c'est tout ? C'est pour ça qu'il a quitté l'école sans même terminer son année ? Il s'est passé autre chose, non ?

Le Gloaenec se leva, mal à l'aise, et alla remplir sa tasse. Tellement troublé qu'il ne songea même pas à en offrir une autre à Vincent, il vint se rasseoir comme si ses gestes n'avaient d'autre but que de meubler le silence. Il mit un morceau de sucre dans son café. Un autre, et un autre encore. Parut réaliser ce qu'il venait de faire et prit sa cuillère pour agiter le sirop.

– Je ne sais pas ce qui s'est passé. Je ne voulais pas le savoir. En tout cas, je n'y ai pas participé.

– Vous n'avez pas participé à quoi ?

– À... c'est toujours pareil. Il y a toujours un groupe de meneurs et le troupeau qui suit. Moi, je faisais plutôt partie du troupeau. J'avais toujours été bon élève, je devais reprendre l'exploitation de mon père où mon avenir était tout tracé. Je me marierais, j'aurais des enfants...

Il tourna à nouveau son regard vers la photo sur la cheminée.

– J'étais juste là pour suivre mes études jusqu'au bac. Après quoi, un lycée agricole et la vie active... Je ne voulais pas d'histoire. Donc je suivais, mais sans m'en mêler de trop près.

– Mais ce n'était pas le cas de tout le monde ?

– Non, il y avait un petit groupe de trois ou quatre garçons qui venaient de la ville et qui avaient vu des choses qu'on ne connaissait pas dans les campagnes. Ils étaient « cool », comme on disait à l'époque. Ça se dit encore ? Bref, ces quatre-là allaient beaucoup plus loin que les autres. Ils ne se contentaient pas de lui renverser son cartable, de lui tacher sa blouse ou de lui mettre son lit en portefeuille. Ils étaient beaucoup plus durs. Et leurs... blagues avaient quelque chose de plus pervers. Ils lui passaient la bite au cirage. Ils lui piquaient ses fringues pendant les cours de gym, et il se retrouvait à poil à trois cents mètres de l'école.

– Des marrants !

Le Gloaenec hocha la tête.

– Oui. Quand ils le racontaient, ça faisait rire tout le monde. Moi je riais avec les autres, bien sûr, même si je n'étais pas très fier de moi. Vous savez, par la suite, j'ai souvent repensé à tout ça. Et je me disais que j'aurais dû réagir, les empêcher d'aller trop loin. Mais il était trop tard. On ne peut pas revenir sur le passé.

Il jeta un coup d'œil à la photo, comme pour obtenir une absolution de ce côté-là.

– Et ensuite ?

– Ensuite ?

Le Gloaenec lui lança un regard de bête traquée et Vincent sut qu'il restait autre chose qu'il n'avait encore avoué à personne et qu'il aurait voulu oublier. Peut-être quelque chose dont il s'était confessé jadis, sans se sentir pardonné pour autant. Vincent décida que le moment était venu d'appuyer là où cela faisait mal :

– Ce harcèlement a duré plusieurs mois. Et, un beau jour, Yvon a quitté l'école pour ne plus y revenir. Et sa vie a été bouleversée.

Le Gloaenec hocha la tête et prit une inspiration comme avant de plonger.

– C'était à Pâques. Yvon et ses quatre... tortionnaires, avaient été collés pour chahut. Il n'y était sans doute pour rien, il devait s'être trouvé pris dans une de leurs blagues, mais le pion qui leur était tombé dessus n'avait pas fait de détail. Donc, tous les cinq étaient retenus à la pension pendant que les autres rentraient chez eux. Vous pensez s'ils étaient furieux. Et bien sûr, ils le rendaient responsable de leur malheur et juraient de se venger. Ils le menaçaient de représailles à chaque fois qu'ils se trouvaient loin des oreilles des pions.

– Et ils se sont vengés ? Comment ?

Le Gloaenec avala sa salive, et Vincent sut qu'il allait enfin savoir ce qui s'était réellement passé dans cette école, près de cinquante ans auparavant.

– Avec le temps, leurs blagues étaient devenues de plus en plus perverses, de plus en plus… sexuelles.

– Et là, il s'est retrouvé tout seul dans le dortoir avec ces quatre types.

Le Gloaenec hocha la tête, et vida sa tasse en détournant le regard.

– Il en a parlé ?

– Pas lui. Mais les autres ont fait des allusions par la suite, en riant. Des rires un peu gênés, comme s'ils avaient eu un peu honte de ce qu'ils avaient fait. À part leur chef qui, lui, assumait pleinement. Il disait que, maintenant, Yvon allait devenir leur chose. C'était le mot qu'il employait. Leur *chose*. Et c'est à ce moment-là qu'Yvon est parti.

– Après quoi sa vie n'a plus jamais été pareille.

Le Gloaenec regarda Vincent, avec toute la détresse du monde dans le regard, à l'évocation de ces souvenirs tragiques.

– Je suis vraiment désolé. Si j'avais su…

– Vous n'auriez sans doute pas pu faire grand-chose. Vous vous souvenez des noms de ces quatre types ?

Il ouvrit la bouche, se ravisa, et dit enfin :

– Je crois que j'ai mieux que ça. Venez.

Il se leva et Vincent le suivit dans un large couloir au bout duquel un escalier de bois noir montait vers les étages. Sur le palier du deuxième, Le Gloaenec ouvrit une porte, noircie par les années, qui donnait sur un grenier faiblement éclairé par quelques lucarnes. La plupart des brocanteurs auraient tué pour mettre la main sur les trésors qui se dissimulaient ici.

Ignorant les vieux fauteuils, les cadres vermoulus, les miroirs au tain piqué par le temps, les berceaux dont les enfants étaient sans doute devenus grands-parents aujourd'hui, le paysan se faufila entre les tas branlants d'antiquités authentiques et de vieilleries véritables.

Tout au fond de la pièce, adossée au mur pignon, se trouvait une armoire dont les portes avaient disparu depuis si longtemps que nul n'en avait gardé le souvenir. Des cartons étaient empilés sur ses étagères. Le Gloaenec en prit un, le posa sur le sol et fouilla son contenu avant de le remettre à sa place pour sortir le suivant.

Même chose.

– Je peux vous aider ? proposa Vincent.

L'autre secoua la tête.

– J'en ai pour deux minutes. Ah ! Voilà !

Il écarta un paquet de feuilles annotées dans la marge : des devoirs d'école. Dessous, se trouvait une chemise cartonnée avec un vague dessin stylisé. Il la tendit à Vincent qui s'approcha de la lucarne pour l'ouvrir.

C'était une photo de classe.

Une photo de classe que Vincent avait déjà vue !

Le Gloaenec s'était relevé et se tenait derrière lui. Il montra quatre garçons à l'extrémité droite de la photo, au deuxième rang.

– Voilà les quatre copains en question.

C'est celui qui se trouvait le plus à droite qui retint l'attention de Vincent. Un grand gaillard blond, au visage d'ange, mais avec dans le regard quelque chose de méchant, de dominateur, comme s'il était le maître du monde, et que Vincent ne remarquait qu'aujourd'hui. Et pourtant il connaissait ce regard !

La révélation était trop forte et Vincent sentit un vertige le saisir. Il tituba, s'appuya contre l'armoire pour conserver son équilibre.

– Ça ne va pas ? demanda Le Gloaenec en constatant son malaise. Vous voulez vous asseoir ?

– Non, non, ce n'est rien, répondit Vincent qui recouvrait ses esprits. C'est cet escalier qui m'a donné le tournis, et le fait de baisser la tête brusquement…

– Vous devriez consulter un médecin, ce n'est pas normal.

– Bien sûr. Je fais peut-être une chute de tension. Mais ça va déjà mieux. Ne vous inquiétez pas.

Le Gloaenec haussa les épaules et désigna la photo.

– Les noms doivent être au dos.

Mais Vincent n'avait plus besoin de connaître ces noms. Il décolla tout de même la photo de son support et la retourna. Les trois premiers ne lui disaient rien, mais le quatrième lui confirma qu'il ne s'était pas trompé.

Michel Messac.

Michel connaissait donc Yvon Kervalec bien avant qu'ils ne l'arrêtent tous les deux, quelques années plus tôt.

– Cela vous dit quelque chose ? demanda Le Gloaenec. Mais qu'est-ce que vous avez ? Vous êtes pâle comme un mort. Vincent se laissa guider jusqu'à un fauteuil poussiéreux dans lequel il s'effondra. Le besoin d'alcool le submergea et il serra les dents pour se contenir.

– Ça ne va pas ? Restez là, je vais vous chercher un remontant.

– Non.

Vincent l'agrippa par le bras pour le retenir.

– Ça va aller. C'est juste un malaise passager. J'ai pris plusieurs cafés avant de venir ici. Je n'ai pas l'habitude. Ça va déjà mieux. Je peux garder la photo ?

– Pas de problème. Pensez quand même à me la rendre quand vous n'en aurez plus besoin.

– Promis.

Vincent se leva, hésitant sur ses jambes flageolantes. Il n'avait plus qu'une seule idée en tête : quitter cette maison avec son incroyable découverte et trouver un endroit calme pour réfléchir.

Sur le pas de la porte, il remercia une nouvelle fois son hôte et l'assura qu'il l'avait bien aidé, qu'il se sentait mieux et n'aurait plus de problème. Il quitta la ferme et engagea sa voiture dans le premier chemin de traverse venu. Il s'arrêta à l'ombre de quelques grands arbres, pour repenser à ce qu'il venait d'apprendre.

Michel connaissait Kervalec et n'en avait rien dit, ni lorsqu'ils l'avaient arrêté des années plus tôt, ni récemment lorsque celui-ci était mort. Qu'est-ce que cela signifiait ? Vincent ne pouvait croire que Michel n'en avait pas conscience.

Non. Il *savait*. Mais dans ce cas, pourquoi n'avait-il rien dit ?

Parce qu'il avait quelque chose à cacher.
Quelque chose de nettement plus grave
encore que ce qui s'était passé trente ou
quarante ans plus tôt, et sur lequel il y
avait prescription depuis longtemps.

Qu'est-ce qui unissait Michel et Kervalec aujourd'hui ? Est-ce que Michel
aurait pu tuer Kervalec ? Et pourquoi
l'aurait-il tué ? Car là encore, Vincent ne
croyait pas aux coïncidences. Kervalec
avait été supprimé pour une raison
inconnue, probablement sans lien avec
son passé immédiat.

Il convenait donc de chercher dans un
passé plus lointain dans lequel Vincent
venait de découvrir la présence de
Michel.

Vincent en était là de ses réflexions
lorsqu'un éclair bleu et blanc fila devant
ses yeux, à quelques mètres de lui à
peine. Une voiture de la police ! Elle fonçait vers la ferme de Le Gloaenec, sans
l'avoir repéré.

Quelqu'un l'avait dénoncé.

Le curé ? La bigote dans l'église ? Mais
dans ce cas, ce serait la gendarmerie qui

serait venu le cueillir. S'il s'agissait de la police, c'est que l'appel venait de Nanterre ou de Cabourg. Mais Castelan ou Monnier ignoraient où il se trouvait. Seul, Michel était au courant puisqu'il lui avait téléphoné avant de venir pour l'informer des progrès de ses recherches et lui dire où il se rendait.

Vincent démarra. Les policiers auraient tôt fait de rebrousser chemin et d'avertir leurs collègues. Il rejoignit la départementale quelques kilomètres plus loin. La petite route la traversait et se perdait dans la campagne, entre les bois. Il poursuivit puis, parvenu à un nouvel embranchement, il sortit sa carte et s'orienta rapidement. Pour lui, la piste d'Yvon Kervalec s'arrêtait là, il devait maintenant en remonter une nouvelle qu'elle venait de croiser, celle de Michel.

Chapitre Trente-Huit

Vincent conduisit dans un état second jusqu'à Loudéac, perturbé par l'arrivée du véhicule de police à la ferme juste après qu'il l'ait quittée. Jusque-là, il s'était imaginé avoir une confortable avance sur ceux qui le poursuivaient, et estimait pouvoir disposer de deux ou trois jours au moins avant qu'on ne lance un inévitable dispositif contre lui. Et deux ou trois jours, c'était plus qu'il ne lui en fallait pour mener à bien son enquête et rentrer sereinement à Paris, avec le résultat de ses recherches.

Mais, là, les flics étaient carrément sur ses talons. Et cela changeait sérieusement la donne ! Ils l'avaient localisé, et pourraient désormais anticiper ses mouvements, avec précision.

Surtout, si Michel les guidait !

Michel. Michel avait-il tué Kervalec ? Vincent ne pouvait pas y croire. Que son ami de toujours soit un assassin dépassait son entendement. Il avait dû avoir une sacrée bonne raison pour cela. En quoi Kervalec le menaçait-il ? Venait-il pour se venger des humiliations subies, après tout ce temps ? Pourquoi, alors, avoir attendu aussi longtemps ? Était-ce pour cela qu'il avait acheté une arme ? Pour tuer Michel ? Michel l'avait-il tué en état de légitime défense ? Ou dans une action préventive ? Tuer avant d'être tué ? Michel en était certainement capable.

Le plus simple était sans doute de lui poser la question, mais Vincent se méfiait du téléphone. Si Michel ne l'avait pas dénoncé lui-même, il était certainement placé sur écoute.

Malgré tout son désir de se persuader de l'innocence de son ami, Vincent ne croyait pas à une simple écoute téléphonique. Il était trop tôt pour que l'on ait déjà envisagé de filer toutes ses relations. De plus, Michel demeurait un client sensible. Son statut d'ancien flic lui avait permis de conserver certains

contacts dans la grande maison, sus-
ceptibles de le prévenir s'il était surveillé.

Ces différentes hypothèses tombaient
à partir du moment où le nom de Michel
figurait avec une telle évidence au dos de
cette photo de classe. Michel était bien le
chef des tortionnaires qui avaient marty-
risé Yvon Kervalec.

Et les policiers avaient foncé chez Le
Gloaenec sur la foi d'un renseignement
précis. Et ce renseignement ne pouvait
provenir que de Michel.

De même que la descente de police au
garage pendant qu'il le fouillait n'était
sans doute pas fortuite. Il avait cru alors
qu'un voisin avait donné l'alarme, mais il
devait certainement sa fuite sur les toits
à Michel lui-même.

Lui qui ne cessait de le dissuader de
remonter la piste de Kervalec !

Lui qui était allé jusqu'à tuer la femme
et le fils de Kervalec pour les empêcher
de parler !

Vincent comprenait maintenant les
réticences de la veuve Kervalec. Elle
connaissait Michel et les liens qui
l'avaient uni à son mari, et sa seule pré-

sence à ses côtés, à l'occasion de leur visite chez elle, représentait une menace voilée. Il n'avait pas eu besoin de parler, et elle n'avait pu que se taire devant lui par crainte de représailles de sa part. Et parce qu'il avait compris que Vincent retournerait la voir et qu'elle risquait cette fois de craquer, Michel avait décidé de l'éliminer et de faire d'une pierre deux coups, en dissimulant chez lui l'arme du crime. Rien de plus simple pour cela : il avait un double de ses clefs.

Vincent s'arrêta devant un abribus désert, incapable de voir où il allait. Il coupa le moteur et resta dans sa voiture sous le coup de l'émotion, troublé par les implications de ce qu'il venait de découvrir. Il était frappé de plein fouet !

Non seulement Michel avait une clef de chez « son ami », mais il connaissait son système d'alarme. De plus, il était aussi mauvais que lui en orthographe. Enfin, il savait où il rangeait ses armes.

Michel avait tué Alexandra ! C'était évident. Il était le seul à disposer de tous les éléments pour cela.

Mais pourquoi ? Pourquoi donc ?

Il devait absolument lui parler. Comprendre avant de se livrer à Monnier. Il n'avait de son côté que des présomptions à opposer aux charges qui pesaient sur lui. Inculpé, emprisonné, il serait mal placé pour se défendre tandis que Michel resterait libre d'agir à sa guise pour l'enfoncer davantage.

Il ne se risquerait donc pas à lui téléphoner.

Vincent chercha sur sa carte routière un itinéraire qui lui permettrait de regagner Paris sans se faire arrêter à un barrage, évitant les grands axes, en empruntant des chemins détournés. Cela lui prendrait beaucoup plus de temps, mais au moins, aurait-il une chance de parvenir à bon port. Il pouvait prendre la départementale 768 jusqu'à Lamballe, continuer jusqu'à Dinard, malgré la tentation de la nationale qui redescendait sur Rennes et ensuite sur Fougères. Son doigt s'immobilisa, remonta jusqu'à la ville de Cancale qu'il venait d'accrocher du coin de l'œil.

La question de l'itinéraire pour regagner Paris devenait soudain secondaire. Il réalisa alors qu'à Cancale, il obtiendrait peut-être d'autres éléments de réponses aux questions qu'il se posait. Par chance, le petit port se trouvait quasiment sur son chemin, et restait peut-être la dernière piste à explorer.

Chapitre Trente-Neuf

Le centre des impôts de Cancale occupait un bâtiment situé à l'angle d'un grand parking derrière l'église, sur lequel Vincent trouva à se garer sans difficulté.

Il entra, attendit qu'un guichet se libère et qu'on lui fasse signe d'approcher.

– Bonjour, je cherche une amie qui travaillait ici autrefois.

La réceptionniste leva un sourcil surpris.

– Comment s'appelle-t-elle ?

– Brigitte. Elle s'appelait Brigitte Messac, mais elle a divorcé il y a une quinzaine d'années. Elle a dû reprendre son nom de jeune fille, ou se remarier...

– Brigitte Messac...

La jeune femme réfléchit, les yeux mi-clos.

– Non, ça ne me dit rien. Mais je ne suis pas ici depuis très longtemps.

– Est-ce qu'il y aurait quelqu'un qui soit ici depuis plus longtemps que vous et qui puisse me renseigner ?

Elle se retourna, examina la grande salle où ses collègues accueillaient les contribuables à divers guichets.

– Evelyne saura peut-être… Evelyne !

Une femme d'une cinquantaine d'années, la mise en plis blond platine impeccable, grande et sèche, avec un nez de marabout, tourna la tête à quatre guichets d'eux.

– Tu peux venir s'il te plaît ?

La femme blonde approcha et examina Vincent qui se fendit de son plus beau sourire pour l'amadouer.

– Bonjour, je cherche une amie qui travaillait ici autrefois. Elle s'appelait Brigitte Messac, mais elle a divorcé depuis.

Le regard se fit plus soupçonneux.

– Vous êtes son ex-mari ?

– Non, non, pas du tout. Je passais et je me suis dit que je pourrais la saluer. Elle ne travaille plus ici ?

Evelyne ne semblait pas décidée à lui donner le moindre renseignement.

– Comment avez-vous dit que vous vous appelez ?

– Vincent. Vincent Brémont.

– Attendez ici. Elle est en retraite. Je vais voir si je peux la joindre.

Elle repartit vers son guichet, et il la vit prendre son téléphone et composer un numéro. Elle dit quelques mots en le regardant, écouta, répondit quelque chose, puis lui fit signe d'approcher.

Il vint s'asseoir en face d'elle et elle lui tendit le téléphone.

– Brigitte ?

– Vincent ? Ça fait longtemps que je n'ai pas eu de tes nouvelles. Qu'est-ce que tu veux ?

– Je voudrais te rencontrer, il faut que je te parle.

– Moi je n'ai pas trop envie de te parler.

– C'est important. C'est à propos de Michel.

– Il lui est arrivé quelque chose ?

Vincent pouvait se tromper mais il aurait juré avoir décelé une lueur d'espoir dans la question. Il ne pouvait lui en vouloir, leur divorce s'était très mal passé, d'après ce que lui en avait dit Michel.

– Non, pas vraiment.

– Il est avec toi ?

– Non, et il ne sait même pas que je suis venu.

– Qu'est-ce que tu peux vouloir après tout ce temps ? Tu ne peux pas le dire par téléphone ?

– Non, il faut que je te voie. Je te répète que c'est très important. Je ne veux pas paraître mélodramatique, mais c'est vraiment une question de vie ou de mort.

Brigitte soupira à l'autre bout du fil.

– Bon sang, vous ne pouvez pas m'oublier ? Tu ne peux pas régler ça tout seul ?

– Brigitte, je *suis* tout seul. J'ai besoin de quelques renseignements.

– Je ne sais rien.

– Tu ne sais même pas ce que je cherche !

Devant lui, Evelyne montrait des signes d'impatience. Il voyait le moment où elle allait lui arracher le combiné des mains en prétextant en avoir besoin.

– Brigitte, je te demande une demi-heure. On peut se rencontrer à l'extérieur si tu ne veux pas me donner ton adresse.

L'argument parut porter. Brigitte réfléchit un instant puis capitula.

– D'accord. Une demi-heure. Retrouve-moi au café qui se trouve en face de l'église. Celui qui a une terrasse.

– À tout de suite, dit-il.

Il rendit le combiné à Evelyne qui le prit en paraissant se demander si elle devrait le faire désinfecter. Il la salua et se leva. Elle entoura son nom sur le bloc devant elle. Façon de lui faire comprendre qu'elle se souviendrait de lui.

Chapitre Quarante

Vincent ne voulait pas risquer de se faire repérer en passant trop de temps dans les lieux publics, et il attendit donc de voir Brigitte entrer dans le café avant d'y pénétrer à son tour.

Elle le regarda approcher, installée près de la vitre. Comme elle n'avait rien pris, il commanda deux cafés. Elle avait bien changé en quinze ans et avait vieilli, bien sûr, mais son visage ne portait pas seulement les stigmates de l'âge. Il était devenu plus dur et sa bouche avait pri un pli amer. Il hésita à l'embrasser, elle ne semblait pas le désirer, et il se contenta de la saluer d'un signe de tête.

– Bonjour. Merci d'avoir accepté de me voir après tout ce temps.

– Il ne tenait qu'à toi de me voir avant. Quand Michel et moi avons divorcé, tu

ne t'es pas précipité pour me réconforter.

Vincent accusa le coup. Le reproche
était justifié. Michel était son ami et il
avait pris son parti sans trop se poser de
questions, comme il l'avait fait lorsque
ce dernier avait eu maille à partir avec
l'IGS.

Brigitte était la femme de son ami, et
lorsqu'ils avaient commencé à se fréquenter en dehors du service, il avait eu
l'occasion de la rencontrer à plusieurs
reprises. Mais lorsque le couple s'était
séparé, la question de savoir vers qui
irait sa loyauté ne s'était pas posée. Il
avait pris fait et cause pour Michel, le
croyant sur parole lorsqu'il lui disait
qu'elle avait tous les torts, et ne cherchant même pas à connaître sa version à
elle.

À la vérité, elle-même n'avait pas tenté
de le contacter pour lui expliquer la bru-
talité de leur séparation. Il avait donc
laissé « couler » lâchement, et ne l'aurait
jamais recontactée s'il n'avait brusquement découvert cette zone d'ombre dans
le passé de son « ami », lui faisant recon-
sidérer l'estime aveugle qu'il lui portait.

Et pour cela, son ex-épouse lui paraissait être le témoin idéal.

– Désolé, dit-il. Tu sais ce que c'est…

– J'ai eu tout le loisir de l'apprendre. Bon, l'heure tourne. Qu'est-ce que tu veux ? C'est Michel qui t'envoie ?

– Non, comme je te l'ai dit, il ne sait même pas que je suis ici. En fait, je suis ici contre lui.

Elle eut un sourire désabusé tandis que le serveur posait deux tasses devant eux.

– Vous n'êtes plus les meilleurs amis du monde ?

– Nous l'étions jusqu'à ce matin.

– Et qu'est-ce qui s'est passé, ce matin ?

– Je pense que Michel m'a livré aux flics.

Elle regarda vers la porte, à l'autre extrémité du café, comme pour évaluer ses chances de l'atteindre avant qu'il ne lui saute dessus, et il se demanda s'il était bien prudent de se confier à cette femme qu'il n'avait pas vue depuis des années, et qui pensait, à tort ou à raison, avoir des griefs envers lui.

– Tout a commencé il y a environ un an, avec le suicide de ma femme.

– Tu t'es marié ?

– L'année qui a suivi votre divorce.

– Et ta femme s'est suicidée ?

– C'est ce que je croyais jusqu'à ces jours-ci. Maintenant, je pense qu'on l'a tuée. Et je me demande si l'assassin ne serait pas Michel.

Elle le regarda en portant sa tasse à ses lèvres, comme si cette accusation ne la surprenait pas.

– Juste avant sa mort, Alexandra a rencontré un homme. Un garagiste à qui elle confiait l'entretien de sa voiture, et qui était mouillé dans un trafic de véhicules volés. Il s'est retrouvé en prison juste après qu'Alexandra… Bref, il est sorti de prison la semaine dernière, et il a foncé à Cabourg où j'étais en vacances avec ma fille.

– Tu as une fille ?

– Julia. Elle a douze ans.

À ce moment précis, il réalisa que Julia lui manquait. Il se demanda fugitivement s'il aurait le temps de la revoir, de l'embrasser, avant qu'on ne l'arrête.

– Ce type s'est fait tuer pratiquement devant chez moi avec mon adresse dans sa poche. Je ne comprenais pas ce qu'il me voulait et je suis devenu le suspect numéro un. On s'est aperçu que je l'avais arrêté voici une vingtaine d'années avec Michel. Mais je ne m'en souvenais plus, et Michel faisait semblant de l'avoir oublié.

Il décida de passer sous silence le meurtre de la femme et du fils de Kervalec.

– J'ai décidé d'enquêter sur ce garagiste ; je suis remonté à son enfance et je viens de découvrir que Michel le connaissait depuis l'école.

– Et il ne t'en avait pas parlé.

– Il prétendait ne pas le connaître.

– Et qu'est-ce que je viens faire là-dedans ?

– J'étais dans le coin. J'ai pensé à toi. Je découvre une facette de la personnalité de Michel que je ne soupçonnais pas et qui me force à remettre en question tout ce que je croyais savoir de lui. Mais toi, tu as vécu avec lui. Tu as été très intime. Tu sais peut-être quelque chose...

– Et comme notre divorce s'est mal passé, tu as imaginé que je pourrais tout te balancer ?

Il haussa les épaules. Il y avait un peu de cela dans sa démarche. Il espérait que Brigitte aurait conservé suffisamment de rancœur après leur séparation pour lui fournir les pièces du puzzle qui lui manquaient. Mais il avait compté sans la crainte qu'il lisait toujours dans son regard, quinze ans après.

– Je ne ferai rien contre Michel, dit-elle. Il m'a oubliée, et c'est très bien ainsi.

– Tu as peur de lui ?

Elle sortit une cigarette de son sac, se souvint qu'elle n'avait pas le droit de fumer dans le café, la tritura nerveusement, traçant des figures géométriques dans la marque laissée par la soucoupe.

– Michel peut être très violent.

– Il te battait ?

C'était un aspect de leur relation que Vincent n'avait jamais envisagé. Manifestement, il était passé à côté d'une partie importante de l'histoire de leur couple, à l'époque. Il était même passé à côté de beaucoup d'autres choses…

– Je suis désolée, je ne peux rien pour toi.

– S'il te battait, pourquoi n'as-tu rien dit lors du divorce ?

– Parce que je voulais divorcer, pas me suicider. Et puis il était flic, quel poids j'aurais eu ?

– Cela ne se passe pas comme ça…

– Bien sûr.

Elle ficha la cigarette entre ses lèvres serrées, et ramassa ses affaires d'une main fébrile.

– Je suis désolée, dit-elle à nouveau. Je ne peux rien. C'est trop loin. C'est du passé. Je veux oublier.

Elle se leva. Il lui agrippa le poignet, mais le relâcha aussitôt en voyant le regard meurtrier qu'elle lui jetait.

– Pour moi ce n'est pas du passé, dit-il.

– Je n'y peux rien. Ce n'est pas mon affaire. Comme mon histoire n'était pas ton affaire à l'époque.

Elle partit en direction de la porte du café, et il comprit qu'il avait fait chou blanc. Il ne lui restait d'autre solution que de rentrer à Paris et de se livrer.

Brigitte posait la main sur la poignée de la porte. Elle s'immobilisa, prit une

profonde inspiration comme si elle faisait un gros effort sur elle-même. Elle
revint vers la table.

– Tu as une fille, disais-tu ?

– Oui.

– Ne la laisse pas seule avec lui.
Jamais. C'est pour ça que je suis partie.
Mais ne lui dis pas que je t'en ai parlé, il
me tuerait. Il me l'a juré.

Puis elle sortit, le laissant abasourdi
par cette révélation.

Chapitre Quarante et Un

Vincent resta un moment devant son café qui refroidissait. Ce que Brigitte avait voulu lui dire était clair. Inutile de chercher des explications là où une seule suffisait, évidente.

Michel, un pédophile ?

C'était impossible. Depuis qu'il le connaissait, il s'en serait aperçu... Sans doute fallait-il mettre cette révélation sur la volonté de Brigitte de se venger à bon compte de l'homme qui l'avait fait souffrir.

C'était la seule explication possible. Leur divorce s'était très mal passé. Vincent ignorait ce qui s'était dit et fait exactement à l'époque, mais à en juger par le peu que lui en rapportait Michel, c'était la guerre à l'intérieur du couple.

Brigitte avait tout d'abord refusé de l'aider, pour ensuite revenir sur sa décision et lui asséner brutalement cette révélation. Ainsi, tentait-elle de se venger de Michel, quinze ans après, et de lui par la même occasion, lui qui, à l'époque, avait choisi son camp et l'avait ignorée, ne se rappelant à son souvenir que lorsqu'il avait eu besoin d'elle ?

Vincent n'était pas très fier de son comportement, mais cette culpabilité-là était le cadet de ses soucis pour le moment. Se pouvait-il que Brigitte dise la vérité ? Elle avait manifestement peur de Michel. Aurait-elle pris le risque de proférer cette accusation voilée, si elle n'était pas fondée ?

Il avait rarement vu Michel avec une femme depuis son divorce, et ne lui connaissait pas de liaison régulière. Il y avait dans son raffinement, dans sa façon de vivre seul et de tenir impeccablement sa maison quelque chose qu'il associait difficilement avec l'image du célibataire endurci coureur de jupons.

Et des jupons, il n'en avait jamais beaucoup vus dans l'entourage de son « ami ».

Ce même « ami » venait peut-être de le livrer aux policiers, lui qui avait sans

doute violé un condisciple lorsqu'il était
au pensionnat. Ne s'agissait-il que d'un
bizutage qui avait très mal tourné, ou
bien ce viol était-il l'expression de la personnalité profonde de Michel ? Lui qui
avait caché qu'il connaissait Kervalec
lorsqu'ils l'avaient arrêté, pour le relâcher quelques heures plus tard sans en
parler à personne. Qu'avait-il exigé en
échange ? S'était-il servi du receleur
comme indic ? Mais avec le temps, Vincent en aurait eu forcément des échos.

Avait-il d'autres intérêts à renouer
avec cette relation ? Les mobiles évoqués
par l'IGS pour exiger sa démission
étaient-ils fondés, contrairement à ce
qu'il avait prétendu ? Vincent avait toujours accepté sa version des faits, sans
jamais la remettre en question. Michel
avait-il relâché Kervalec en échange d'un
pourcentage sur ses combines ? Ou bien
sa motivation était-elle plus sombre
encore ? Au collège, il voulait faire de
Kervalec « sa chose ». Le garagiste était-
il vraiment devenu sa chose ?

Était-ce ce chantage que Kervalec était
venu révéler à Vincent avant d'être
abattu sur le pas de sa porte ? Mais

pourquoi seulement aujourd'hui, si longtemps après ? Si Michel l'avait exploité à
quelque niveau que ce soit depuis dix-
huit ans, qu'est-ce qui avait soudain
poussé le garagiste à venir en parler à
Vincent ?

Ou bien Kervalec venait-il lui parler de
sa fille ?

Michel avait-il… S'il avait osé toucher
à Julia…

La main de Vincent se porta à sa hanche, mais le Glock ne s'y trouvait pas. Il
l'avait laissé dans le bureau de Castelan.
Qu'importe. S'il avait touché à sa fille, il
le tuerait de ses mains nues.

Vincent promena un regard hagard
sur le petit café où il n'y avait que deux
autres clients solitaires. Il fut pris tout à
coup de sueurs froides. Derrière le bar,
des rangées de bouteilles attendaient les
consommateurs. Toutes sortes de whis-
kies : J&B, Jack Daniel's, Chivas, Johnny
Walker, Black & White, Long John, Bal-
lantine's, Talisker…

Un Talisker. C'était ce qu'il lui fallait
pour chasser le froid qui s'était emparé
de lui depuis que Brigitte avait décoché
sa flèche empoisonnée avant de partir. Il

leva la main et le serveur tourna la tête dans sa direction.

Non. Il avait promis à sa fille. Sa fille qui avait besoin de lui. Il devait encore garder les idées claires, garder lucide sa tête habitée de résolution et de colère.

– Un café, demanda-t-il.

Il réalisa alors que, depuis la mort d'Alexandra, pas une seule fois, Michel n'avait tenté de le dissuader de boire. Au contraire, combien de fois était-il ressorti de chez lui ivre mort ? Comme si son « ami » cherchait à le faire sombrer davantage dans l'alcoolisme.

Pour avoir le champ libre ?

Plus il réfléchissait, plus il croyait ce que Brigitte lui avait suggéré. Elle ne voulait pas parler parce qu'elle avait peur de Michel. Elle allait partir. Et elle était revenue sur ses pas pour le mettre en garde. Elle était sincère, il en aurait mis sa main au feu.

Et, soudain, sa dernière conversation avec Castelan lui revint en mémoire. Le fils de Kervalec allait à la même école que Julia. C'était peut-être là que Kervalec et Alexandra s'étaient rencontrés, avant qu'elle ne lui confie sa voiture. Il devait savoir que son mari était policier. Et si Michel avait touché aussi au fils de Kervalec… Vincent imaginait la scène. Kervalec l'apprenant, revivant brutalement ce qu'il avait subi trente ans plus tôt, et découvrant que c'était le même homme qui infligeait à son fils l'humiliation à laquelle il avait été soumis, au même âge…

Sans doute Kervalec avait-il eu envie de le tuer depuis trente ans. Mais, trop faible de caractère, il s'était retenu et avait préféré taire son secret. Refermé sur lui, il avait accepté toutes les humiliations, toutes les brimades… Découvrir que son fils subissait à présent le même calvaire avait dû ranimer son courage. Il avait acheté un pistolet pour éliminer enfin celui qu'il haïssait depuis tant d'années.

Mais Kervalec demeurait un faible. Il n'avait pas osé passer à l'acte. C'est alors qu'il avait pensé à Alexandra, après avoir probablement découvert que Michel avait jeté son dévolu sur Julia… Ou simplement, par hypothèse, se doutant des liens qui les unissaient. Il avait invité Alex à déjeuner et lui avait révélé ce qu'il savait, ou croyait savoir. Les larmes de la jeune femme auraient pu s'expliquer pour moins que ça.

L'erreur d'Alexandra avait été de vouloir vérifier avant d'en parler à son mari. Elle s'était confrontée à Michel...

Et elle en était morte.

Vincent se leva, des sueurs froides lui coulaient dans le dos.

– Je peux utiliser votre téléphone ? demanda-t-il.

Le cafetier lui désigna l'appareil accroché au mur, au fond de la salle.

Vincent piocha de la monnaie dans sa poche et commença à garnir l'appareil. Puis il sortit son mobile et prit le risque de remettre la batterie en place et de l'allumer, le temps de retrouver le numéro de Muriel. Il le mémorisa et éteignit à nouveau le portable.

Il fut soulagé d'entendre Muriel décrocher à la troisième sonnerie. Il devait absolument mettre sa fille hors de portée de Michel le temps de rentrer à Paris. Ensuite, il règlerait la situation.

– Muriel ? Bonjour, c'est Vincent. Tout va bien ?

– Bien sûr, pourquoi ? Où es-tu ?

– Je vais rentrer. C'est à propos de Julia, je voudrais te demander de l'éloigner.

– L'éloigner ? Mais elle n'est plus ici.

Et il comprit ce qu'elle allait lui dire avant même qu'elle prononce ces mots :

– Michel est passé la prendre, comme tu l'as demandé.

Il resta sans voix, et Muriel comprit que quelque chose d'anormal venait de survenir.

– Que se passe-t-il ? Je n'aurais pas dû la lui confier ? Il m'a dit que c'était toi qui le demandais, qu'ils allaient te rejoindre... Tu lui avais donné mon adresse. Et comme c'est ton meilleur ami...

– Si... si... non..., c'est bon ! J'avais oublié. Je pensais qu'il ne serait pas encore passé. Tout va bien, excuse-moi de t'avoir dérangée. Il est venu quand ?

– Ce matin, en fin de matinée.

– C'est ça. Ok, merci.

– Tu es sûr que tout va bien ?

– Très bien. Ne t'inquiète pas. Merci.

Il raccrocha avant de devoir donner davantage d'explications. Muriel n'était sans doute pas convaincue, mais c'était le cadet de ses soucis.

Michel détenait Julia.

Chapitre Quarante-Deux

Le premier réflexe de Vincent fut de composer le numéro de Michel pour le menacer de le tuer si jamais il touchait à sa fille.

Il avait déjà formé les premiers chiffres quand il suspendit son geste. Non. Il fonçait bille en tête, une fois de plus. Michel, lui-même, le lui avait pourtant assez souvent fait remarquer lorsqu'ils jouaient aux échecs. Il se faisait régulièrement battre parce qu'il plongeait dès qu'il voyait une ouverture, sans prendre le temps de peser toutes les données du problème.

Il raccrocha et fit le point.

Michel ignorait où il était. Il ignorait également qu'il avait parlé à Brigitte. Par contre, il savait qu'il avait parlé à Le Gloaenec, et devait donc se douter qu'il avait tout appris de la relation qui le liait à Kervalec. Sans doute ne savait-il pas exactement ce que Le Gloaenec avait pu révéler après tout ce temps, mais il devait s'attendre au pire.

Pourquoi avait-il enlevé sa fille ? Pour se protéger ? Pour avoir une monnaie d'échange ? L'obliger à se taire sur ce qu'il venait de découvrir ? Michel ne pouvait espérer le voir garder éternellement le silence et aller en prison pour un crime qu'il n'avait pas commis... Il ne pouvait s'agir que d'une solution d'attente, le temps de...

Le temps de se débarrasser définitivement de lui et de ce qu'il savait.

La seule issue pour Michel était de le tuer. Vincent fut abasourdi par la conclusion à laquelle il venait d'arriver. Son meilleur « ami », l'homme en qui il avait eu toute confiance, projetait de le tuer...

Et que ferait-il de sa fille ? La tuerait-il également, après ? Maquillerait-il tout cela en un suicide collectif ? Il aurait beau jeu d'expliquer à tout le monde que Vincent était déjà dépressif, suicidaire, mais qu'il ne pensait pas qu'il irait jusqu'à commettre cet acte. Mais son alcoolisme avait dû être un facteur aggravant… surtout en période de sevrage, difficile à supporter, sans parler du souvenir du suicide de sa femme dont il ne s'était jamais remis…

S'il l'affrontait seul, Vincent courrait à sa perte et il entraînerait Julia avec lui.

Il hésita un instant. Il avait remonté la piste Kervalec aussi loin qu'il le pouvait, et elle le menait à un nouveau gibier, autrement dangereux celui-là : Michel.

Il bouillait d'envie d'aller le trouver et de lui mettre deux balles dans le ventre. Mais avec quelle arme ?

Résigné, il se tourna vers le téléphone, composa un numéro qu'il connaissait par cœur. Celui de Castelan.

Chapitre Quarante-Trois

Le lieutenant, de l'autre côté de la table grise, paraissait très jeune. Sans doute pas plus d'un an ou deux dans la police. Il regardait Vincent avec un mélange de compassion et de méfiance.

Officiellement, il était là pour aider Vincent, mais ce dernier ne se faisait pas d'illusion : son rôle véritable était de le tenir à l'œil et de veiller à ce qu'il ne joue pas à nouveau la fille de l'air. Le fait qu'il se soit constitué prisonnier ne changeait pas grand-chose à sa situation : il demeurait toujours sous le coup d'un mandat d'amener.

Un autre policier entra dans la salle d'interrogatoire : le commandant Boulard dirigeait le commissariat de Saint-Malo, où Vincent s'était rendu après avoir appelé Castelan et avoir fait le point avec lui. Il aurait pu s'adresser à la

gendarmerie de Cancale, mais sa position lui paraissait déjà suffisamment
délicate sans rajouter en plus les problèmes liés à la cohabitation entre les
deux administrations.

– Je viens d'avoir Monnier à Cabourg,
dit Boulard. Il n'est pas très content que
vous ayez préféré la jouer en solo.

Vincent haussa les épaules.

– L'enquête piétinait. J'ai pensé que
j'aurais plus de chances de mon côté.
Manifestement, j'avais raison.

– J'ignore ce qu'en dira votre hiérarchie, mais chez moi, je n'aurais jamais
toléré une telle insubordination.

Vincent se fichait complètement de ce
que pourrait penser sa hiérarchie, et
encore plus de l'opinion de Boulard.
Michel détenait sa fille, c'était tout ce qui
comptait à ses yeux.

– La question est : Monnier est-il
d'accord, ou non ?

Boulard secoua la tête.

– Vous ne lui laissez guère le choix, il
me semble.

– En ce cas, allons-y.

Vincent prit son téléphone portable.

Depuis qu'il avait pris la décision de se livrer, le fait qu'on le localise n'avait plus d'importance. Il l'avait donc rallumé tout en parlant avec Castelan, et constaté que plusieurs messages l'attendaient. Muriel, qui lui annonçait que Michel avait emmené sa fille ; Monnier, qui lui demandait à plusieurs reprises de le contacter ; Castelan, qui lui conseillait de le rappeler... Et un texto, un seul, de Julia. Avec ce simple mot : *Cabourg*, lancé comme une bouteille à la mer.

Le fait qu'elle n'ait pas laissé de message vocal, et que son texto se résume à un seul mot, disait assez qu'elle n'était pas libre d'agir à sa guise. Sans doute avait-elle profité d'un moment d'inattention de Michel pour l'envoyer. Ce qui signifiait qu'elle avait conscience d'être sa prisonnière. Les poings serrés, Vincent l'imaginait se cachant pour lui envoyer ce texto. Si Michel osait la toucher...

Il préféra ne pas s'appesantir sur cette pensée. Il devait garder les idées claires et raisonner « latéralement ». Son premier mouvement avait été de foncer droit devant lui, il avait dû se faire violence pour contacter ses collègues et demander leur aide, au risque de se voir mis en cellule et de perdre quarante-huit heures à devoir expliquer sa situation devant un juge. Le soutien de Castelan avait été décisif. Le fait que son chef mette tout son poids dans la balance pour lui venir en aide, qu'il soit intervenu auprès de Monnier et de Boulard pour plaider sa cause, avait fait toute la différence.

Vincent appela Michel en gardant l'écouteur éloigné de son oreille pour que les deux policiers présents dans la pièce puissent suivre la conversation.

– Vincent ! Quel plaisir de t'entendre…

La voix de celui qu'il avait cru être son ami pendant toutes ces années lui donnait à présent la chair de poule. Il aurait voulu le tenir entre ses mains et…

– Je viens d'appeler Muriel. Elle m'a dit que tu avais emmené Julia ?

– Voyons, Vincent, c'est toi qui m'as demandé de le faire…

Vincent marqua une hésitation. Puis il comprit. Michel craignait que son téléphone soit sur écoute. Il lui fallait abonder dans son sens pour le mettre en confiance.

– Oui, c'est vrai. J'avais oublié. Le Gloaenec m'a appris des choses surprenantes sur Kervalec et son séjour dans l'école privée.

Ce fut au tour de Michel de marquer une pause.

– Il faudrait qu'on en discute de vive voix. Où es-tu ?

– À Pontivy.

Inutile de lui dire qu'il était venu à Cancale et qu'il avait parlé à son ex-femme. De plus, Pontivy étant beaucoup plus loin que Saint-Malo de Cabourg, il se donnait ainsi un peu de temps.

– Il faudrait que tu viennes récupérer ta fille…

– Où ça ?

– Là où tout a commencé…

Cabourg. Le message de Julia disait vrai. Et le fait que Michel n'y fasse pas référence indiquait qu'il ignorait qu'elle l'avait envoyé.

– Bien sûr. J'aurais dû y penser. Mais je ne peux pas emprunter l'autoroute. Ça va me prendre au moins six ou sept heures.

– Fais au plus vite, elle a hâte de te revoir, et moi aussi.

– J'arrive.

Vincent raccrocha.

– Convaincus ? demanda-t-il en se tournant vers Boulard et son adjoint.

Le visage du commissaire avait changé. L'hostilité, dont il avait fait preuve de prime abord, avait cédé la place à de la détermination.

– Il semble bien que vous aviez raison. Je vais demander un hélicoptère. Marc, appelez Monnier et dites-lui qu'on a bien une séquestration en cours à Cabourg.

Les trois hommes se levèrent d'un même mouvement.

Chapitre Quarante-Quatre

Michel quitta le fauteuil depuis lequel il surveillait la rue et s'approcha de la fenêtre. La camionnette d'EDF était toujours là, presque devant la maison. Sur son bras élévateur, un employé s'affairait avec les fils à dix mètres de hauteur tandis qu'un autre, demeuré au sol, le regardait faire. Il se rencogna dans l'angle du mur pour mieux les surveiller.

Julia, à l'autre bout de la pièce, était enfoncée dans un fauteuil. Il lui avait acheté un magazine sur la route, mais elle ne l'avait même pas ouvert.

Michel avait tablé sur le fait que Vincent réfléchissait rarement avant d'agir. Puisqu'il n'était pas parvenu à le faire arrêter, il allait lui régler son compte tout seul. Son plan était simple : l'attirer ici, l'abattre et faire passer sa mort pour un suicide. Cela avait marché avec sa

femme, qui était loin d'avoir autant de
motifs que lui de se tuer. Cela marche-
rait avec lui. Il serait malheureusement
obligé de tuer aussi Julia. Cela le chagri-
nait, mais sa sécurité était à ce prix.

Depuis que Kervalec avait décidé de
tout révéler, Michel était sur la corde
raide. Sans cesse sur la défensive, obligé
de s'adapter à la situation en permanence. Il avait voulu le faire disparaître à
l'époque, mais, manque de chance, Kervalec avait plongé pour une histoire de
recel. Il aurait dû le faire tuer en prison,
comme il y avait songé. La seule chose
qui l'avait retenu, c'était qu'il ne voulait
mettre personne dans la confidence, et
que pour obtenir un tel service d'un taulard, il aurait dû utiliser au moins deux
intermédiaires. Trop de monde pour être
sûr que rien ne filtrerait jamais. Il avait
donc décidé de tuer Kervalec à sa sortie.
Il attendait le bon moment, mais l'autre
l'avait pris de vitesse : sitôt libéré, il avait
foncé chez Vincent. Il devait projeter ça
depuis un an. Michel ignorait comment
il s'était procuré son adresse à Cabourg,
mais il savait qu'avec un peu d'argent, on
obtenait tout ce que l'on voulait, même

en prison. Trouver l'adresse de la résidence secondaire d'un flic ne devait pas
être si difficile pour un taulard !

Son erreur avait été de le laisser filer
un an auparavant, après qu'Alexandra
l'avait confronté avec ce que Kervalec
venait de lui apprendre.

Il jeta un regard à Julia qui demeurait
les yeux dans le vague, comme absente.
Et pourtant elle était bien consciente de
la situation. Alexandra avait été folle de
rage et incrédule à la fois. Elle ne voulait
pas croire que depuis des années, il avait
trahi leur confiance, que son amour
pour sa fille outrepassait l'affection légitime d'un parrain...

Il avait tenté de le lui expliquer, mais elle
n'avait rien voulu entendre, et avait pris sa
confidence pour un aveu, bien décidée à le
dénoncer. Il ne pouvait l'accepter : les
pédophiles sont très mal traités en prison,
sans parler des anciens flics. Cumuler les
deux signifiait pour lui une éternité de brimades et de tortures. Il ne pouvait pas se le
permettre. Comme elle n'avait rien voulu
entendre, il n'avait pas eu le choix.

Sous la menace de son arme, il avait
contraint Alexandra à rentrer chez elle et

à écrire cette lettre. Devant son refus, il l'avait alors menacée de tuer sa fille lorsqu'elle rentrerait, puis Vincent, et de maquiller tout cela pour faire croire à la culpabilité de ce dernier. Il lui avait laissé le choix : ou bien elle mourait seule, ou bien ils mourraient tous les trois.

Alexandra s'était résignée. Il ne pouvait pas deviner qu'elle parsemait sa lettre d'indices suggérant qu'elle ne s'était pas suicidée. La garce !

Il posa les yeux sur Julia, toujours immobile, comme en catatonie. Et dire que c'était elle qui avait tout fichu par terre. En planquant la lettre, tout d'abord, convaincue que sa mère s'était suicidée à cause d'elle, à cause de la honte éprouvée en découvrant ce qu'ils faisaient tous les deux. Paradoxalement, cela avait sauvé Michel dans un premier temps, pour mieux le faire plonger un an plus tard lorsqu'elle avait enfin lu ce texte.

« Méfiez-vous des femmes », songea-t-il. Même les plus jeunes vous plantent un couteau dans le dos à la première occasion.

Il reprit sa veille. À l'extérieur, l'employé d'EDF, tout en haut dans sa petite cabine, fixait un minuscule boîtier sur le pylône. Une caméra ?

Des flics ?

Il n'aimait pas cela.

Vincent avait-il demandé l'aide de ses collègues ? Mais on l'aurait arrêté immédiatement.

Même s'il avait découvert qu'il connaissait Kervalec, il ne pouvait avoir aucune idée de ce qui les unissait vraiment. Certes, Michel avait bien profité de son ascendant sur le garagiste pour prendre sa part dans les bénéfices des petites combines sur lesquelles il fermait les yeux. Mais Kervalec avait accepté cela avec résignation, conscient qu'il était né perdant, et que son lot était de payer tribut à plus puissants que lui.

Son erreur avait été de toucher à son fils. Kervalec l'avait appris, et il n'avait pas apprécié du tout de voir que son petit dernier revivait ce que lui-même avait vécu des années auparavant, et cela entre les mains du même homme. Il s'était procuré une arme pour le tuer, mais sans jamais trouver le courage de passer à l'acte.

Et au cours d'une de ces veilles devant chez lui, il avait aperçu Julia qui passait chez Michel par le fond du jardin. C'était du moins ce qu'il avait raconté à Alexandra qui l'avait répété à Michel.

Il avait alors reconnu la fillette qui allait à la même école que son fils. Il savait que le père était policier...

Et, lâche comme il était, il avait préféré prévenir la femme du flic que venir chez Michel, arme au poing, pour s'expliquer...

Depuis, Michel avait planté une haie devant chez lui pour dissimuler son jardin.

Chapitre Quarante-Cinq

L'aéroport le plus proche de Cabourg était celui de Deauville, à vingt-huit kilomètres par la route. Une bonne demi-heure de perdue alors que le temps jouait contre eux. L'hélicoptère spécialement affrété pour Vincent se posa donc sur la plage de Cabourg, juste devant une voiture de police banalisée dans laquelle le commandant Monnier surveillait la manœuvre.

Vincent sauta de l'appareil dès que le pilote lui en donna l'autorisation, et courut vers la voiture, à demi courbé par précaution, sous les pales qui continuaient de vrombir au-dessus de sa tête.

Monnier ne souriait pas, et lui fit signe de monter à l'arrière. Vincent s'exécuta tandis que l'hélico redécollait en cinglant leurs vitres de rafales de sable.

– Heureux de vous revoir, dit Monnier en se tournant vers lui, ça fait un moment que je vous cherche.

– J'ai été très occupé.

– C'est ce que j'ai cru comprendre. La chasse a été fructueuse à ce que l'on m'a dit ?

Vincent se demanda où il en était exactement dans ses rapports avec la Justice. Jusqu'à présent, on ne lui avait pas passé les menottes, mais un lieutenant l'avait tout de même accompagné dans l'hélicoptère jusqu'à ce que Monnier et ses hommes prennent livraison de lui. Pourtant, contrairement à leur dernière entrevue, Monnier ne lui paraissait pas hostile, bien que Vincent ait préféré ne pas répondre immédiatement à sa convocation. Sans doute fallait-il mettre cela sur le compte des avancées de son enquête qui ouvraient de nouvelles pistes. S'il était revenu bredouille, l'accueil aurait été moins chaleureux. Afin de rester dans ses bonnes grâces, Vincent lui tendit l'enveloppe qu'il avait apportée.

– Voici la photo.

Monnier la sortit pour l'examiner. Vincent lui montra les deux visages qui l'intéressaient :

– Lui, c'est Kervalec, et voilà Michel.

La voiture démarra, roulant doucement sur le sable détrempé, jusqu'à une
rampe de pierre où elle accéléra pour
gagner la ville. L'agent qui conduisait ne
disait rien, mais Vincent devinait qu'il ne
perdait pas une miette de leur conversation.

– Les noms sont au dos, écrits de la
main de Le Gloaenec.

Monnier retourna la photo et parcourut les noms.

– C'est ce qu'il nous a dit, oui. Et vous
n'avez jamais soupçonné que votre ami
et Kervalec se connaissaient ?

– Jamais. À l'époque, je n'ai dû voir
Kervalec que quelques heures. Je n'en ai
conservé aucun souvenir.

– Et vous ne vous êtes pas étonné
qu'on relâche aussi vite le type que vous
aviez arrêté ?

– Michel a dû me raconter un bobard
quelconque, et j'ai marché. Pourquoi
aurais-je soupçonné quoi que ce soit ? Il
était mon supérieur…

– Et donc, si j'ai bien suivi, vous pensez que c'est lui qui a tué Kervalec et
sans doute assassiné votre femme ?

Vincent acquiesça.

– Et il aurait enlevé votre fille.

– Ce n'est pas le terme qu'il a employé, mais la police de Saint-Malo a suivi notre conversation. Michel m'a dit de venir la chercher là où tout avait commencé. Je pense que c'est ici. Julia m'avait envoyé un texto juste avant cela pour m'indiquer simplement *Cabourg*.

Monnier opina. Il ne souriait plus.

– Vous avez bien fait de nous prévenir. Vous n'aviez aucune chance en continuant de jouer cavalier seul.

– C'était ma première idée, mais c'est Michel qui, involontairement, m'a fait changer d'avis.

– Comment cela ?

– C'est lui qui m'a formé. Il me connaît par cœur. Et il sait que j'ai un défaut, c'est de foncer d'abord, et de réfléchir ensuite. Il comptait là-dessus. Cela fait des années qu'il me bat aux échecs parce que je réagis toujours trop vite. Mais quand la vie de ma fille est en jeu, je n'ai pas le droit à l'erreur. Je me suis arrêté un quart d'heure entre le moment où j'ai pris un téléphone pour l'appeler et celui où j'ai finalement composé un autre numéro. Et ce n'est pas le sien que j'ai appelé. J'ai préféré faire confiance à la Justice, comme on dit.

– C'était le mieux que vous ayez à faire. Cela nous a permis de gagner du temps et de nous organiser. Une équipe du RAID est en route.

Vincent se sentit à la fois rassuré parce qu'il savait avoir affaire à des professionnels, et terrifié parce que cela signifiait que les enjeux venaient de monter d'un cran. Et, comme tout parent confronté à la même situation, il ne pouvait s'empêcher de se demander s'il avait fait le bon choix. N'avait-il pas commis une erreur en mêlant la police à tout cela ? N'aurait-il pas pu récupérer seul sa fille ? Mais, alors même qu'il se posait cette question, il savait que les chances d'un individu, fût-il capitaine de police, de se sortir seul d'une telle situation étaient quasi nulles. C'était du moins ce qu'il répétait aux parents à chaque fois que la situation se présentait. Il aurait voulu s'en persuader lui-même aujourd'hui.

– Comment se présente la situation sur place ?

– Il y a bien quelqu'un chez vous, les volets sont ouverts. Et nous avons localisé la voiture de votre ami à deux rues de là.

Michel ne se cachait même pas. Il devait se sentir très fort.

– Ma fille ?

– On n'a vu personne pour le moment. Une équipe pose une caméra de surveillance de l'autre côté de la rue, en haut d'un poteau électrique.

– Michel va s'en apercevoir.

– Nos gars sont des pros.

Vincent préféra ne pas commenter.

La voiture filait dans la circulation ; le conducteur ralentissait à peine à l'approche de chaque carrefour, confiant dans le fait que le gyrophare et la sirène lui ouvraient la voie.

Il restait tout de même une question qui perturbait Vincent, et il devait la poser :

– Comment se fait-il que vous m'ayez fait aussi vite confiance ?

– Comment cela ?

– Oui, j'étais en fuite, recherché pour trois meurtres. J'appelle du fin fond de la campagne pour dire que j'ai trouvé le vrai coupable, et vous m'accueillez à bras ouverts, comme si j'avais été envoyé en mission et non pas parti en cavale.

– Mais vous étiez bien envoyé en mission.

Vincent en resta sans voix. Monnier précisa :

– Votre ami a tout fait pour vous faire plonger, mais il y a un détail qui clochait et contre lequel il ne pouvait rien. Vous vous souvenez des photos de votre femme que nous avons retrouvées au garage ?

– Oui, il avait dû les voler chez moi et les placer là-bas.

– Exactement. Et ça m'a tout de suite mis la puce à l'oreille. Si vous vous rappelez, la culotte était maculée de cambouis, comme si elle avait été tripotée par Kervalec pendant qu'il regardait les photos.

Vincent resta silencieux, attendant la suite. Cette image le mettait mal à l'aise et il sentait la colère bouillir jusque dans ses poings. Il préférait ne pas s'appesantir sur ce que suggérait Monnier.

– Il y avait juste un détail que votre ami n'avait pas prévu. J'ai fait relever les empreintes sur ces photos. Il n'y avait que les vôtres et celles de votre femme, plus celles d'un inconnu, sans doute l'employé du laboratoire qui les a développées. Mais pas celles de Kervalec. Plutôt bizarre, non ?

– Et vous avez compris que Kervalec ne les avait jamais eues en mains, donc qu'elles avaient été placées là pour me donner un mobile de le tuer. Mais pourquoi ne pas me l'avoir dit ?

– Parce que je pensais que vous alliez remuer la vase jusqu'à faire sortir le poisson que nous cherchions. C'est ce que vous avez fait.

– Vous vous êtes servi de moi...

– Je n'avais pas tellement le choix. Vous auriez agi de la même façon.

La voiture se gara au bord d'un trottoir, dispensant Vincent de répondre. Dans le commissariat, il gagnèrent le bureau où il avait été reçu lors de ses précédentes visites. Monnier sortit un bloc et un crayon et les disposa sur son sous-main.

– Vous allez nous dessiner un plan de la maison en attendant l'équipe du RAID. Ils risquent d'en avoir besoin.

Vincent s'assit au bureau et commença à dessiner, se demandant avec inquiétude dans quelle pièce de la petite maison se tenait sa fille au même moment, ce qu'elle faisait et à quoi elle s'exposait...

Chapitre Quarante-Six

Julia se trouvait toujours dans le salon, sous la surveillance de Michel qui ne cessait de scruter l'extérieur de la maison, à travers le rideau.

Les techniciens d'EDF avaient fini par remballer leur matériel. Peut-être s'agissait-il vraiment d'électriciens, après tout ? Mais il avait travaillé trop longtemps dans la police pour ne pas se méfier de ce hasard. À l'époque où il menait encore des enquêtes, on aurait planté un sous-marin devant la porte. Une camionnette anonyme, avec des vitres fumées derrière lesquelles deux policiers se seraient relayés pour surveiller la maison et rendre compte au QG, à quelques centaines de mètres de là.

Mais aujourd'hui, avec les techniques modernes...

– Il y a des jumelles, ici ?

Julia ne paraissait pas comprendre sa question. Il se tourna vers elle et mima avec ses mains devant les yeux :

– Des jumelles ! Pour voir au loin. Vous avez ça, ici ?

Elle hésita. Julia lui tenait tête de plus en plus souvent, mais elle n'avait pas encore la force de caractère nécessaire pour oser vraiment le défier. C'était plus par des petits coups sournois qu'elle se dressait contre son autorité. Traînant les pieds quand il lui disait de se dépêcher... Après, bien sûr, elle le payait chèrement, mais le simple fait qu'elle tente de se rebeller avait tout de même le don de l'agacer. À l'instant, c'était exactement ce qu'elle faisait. Il le voyait à sa façon d'hésiter. Il y avait des jumelles quelque part, seulement elle se demandait si elle pouvait lui mentir et s'en tirer. Elle faisait de la résistance passive. Il avait envie de la gifler.

– Va les chercher, lui intima-t-il.

Le ton ne prêtait pas à la discussion. La fillette se leva et alla dans l'entrée. Il crut qu'elle allait sortir et eut un mouvement pour lui bondir dessus, mais elle s'arrêta devant la commode dont elle ouvrit le premier tiroir. Elle revint avec un petit étui noir. Il le lui arracha presque des mains, l'ouvrit et en retira l'objet.

Il ne lui fallut que quelques secondes pour l'ajuster à sa vue et, à travers le rideau pour ne pas se faire repérer de l'extérieur, il braqua les jumelles sur le sommet du poteau électrique, remonta jusqu'à son extrémité et jusqu'à ce petit boîtier noir que les deux hommes avaient installé quelques instants plus tôt.

– Fumier, souffla-t-il entre ses dents.

Malgré le voilage qui gênait sa vue, il n'y avait guère de doute possible. Il était en train de fixer l'œil d'une caméra.

Il jeta les jumelles sur un fauteuil. Vincent l'avait trahi. Il avait prévenu les flics. Tout son plan s'écroulait. Pourquoi Vincent n'avait-il pas foncé droit devant lui, comme il le faisait toujours ?

Il n'aurait jamais dû le quitter des yeux. S'il l'avait accompagné dans sa fuite, il aurait pu arranger un accident, un suicide... Mais comment aurait-il pu prévoir aussi que Vincent filerait sans repasser chez lui ?

Brutalement, il voyait se refermer toutes les portes qu'il avait envisagé de franchir pour se sortir de cette situation. Il n'avait pas anticipé cette réaction de la part de Vincent. Tous les jeunes dont il avait abusé au cours de sa vie s'étaient toujours tus, écrasés par la culpabilité et la honte, sans parler de la peur qu'il savait leur inspirer quand besoin était. Aucun ne l'avait jamais dénoncé. Aucun n'avait jamais osé parler. Il n'y avait pas de raison pour que cela change. Il n'avait jamais supposé qu'il puisse en aller autrement, chaque nouvelle proie le confortant dans son sentiment d'invulnérabilité. À tel point qu'il n'avait jamais pensé avoir un jour besoin de fuir. Il n'avait pas de plan B, pas d'économies planquées à l'étranger, pas d'appartement sous un faux nom, même pas de faux papiers…

Quand les choses avaient mal tourné avec Alexandra, il avait réagi immédiatement et pris les mesures qui s'imposaient pour se protéger. Sûr de lui, il se sentait en sécurité, maîtrisant parfaitement la situation, voyant approcher le moment où Vincent serait jeté en prison, ce qui lui laisserait le champ libre avec Julia et le dédouanerait pour les meurtres d'Alexandra et de Kervalec. Mais voilà, la fuite soudaine de Vincent l'avait désarçonné, et les découvertes effectuées durant son enquête lui avaient fait comprendre que sa sécurité était à nouveau menacée. Là encore, il avait fait preuve d'efficacité et de rapidité, s'assurant le silence de son ami en kidnappant sa fille et en projetant de l'assassiner pour enterrer définitivement les secrets qu'il avait mis à jour. Mais tout son plan reposait sur l'hypothèse que Vincent se comporterait comme d'habitude et foncerait bille en tête. Il avait péché par excès de confiance. Il n'avait pas prévu que son ami pouvait réagir différemment et prévenir la police.

La dernière issue venait de se refermer brutalement devant lui. Il n'avait plus rien à espérer. Il eut un sourire amer. Tout ça pour en arriver là.

L'idée de se livrer ne l'effleura même pas. Pédophile et ancien flic... Sa peau ne vaudrait pas cher en prison. Et avant que quelqu'un se décide à le tuer, on lui en ferait baver.

Non, il l'avait toujours su et, aujourd'hui à l'heure du choix, sa conviction était faite depuis longtemps et c'était tout réfléchi : il n'irait pas en prison.

Mais ce salaud de Vincent allait regretter sa décision. Michel ne partirait pas seul.

Mû par la colère et un désir de vengeance, il traversa le petit salon en sortant son arme, parvint en trois pas devant Julia qui le regardait approcher avec la peur dans le regard. Il braqua le canon entre ses grands yeux noirs qu'il avait tant aimés.

Ses grands yeux soudain emplis de larmes lorsqu'elle comprit son intention.

– Non, murmura-t-elle. S'il te plaît, ne fais pas ça.

Il ne devait pas se laisser attendrir. Il ramena en arrière le chien du revolver qui s'enclencha avec un petit clic sinistre.

– Mon père te tuera, et je serai bien contente, lui lança-t-elle avec hargne.

Chapitre Quarante-Sept

Vincent avait dessiné le plan de sa maison avec grand soin, indiquant même les meubles derrière lesquels Michel pourrait être tenté de trouver refuge lors d'un éventuel assaut. Puis il avait rajouté à son croquis un plan d'ensemble reprenant outre la maison, le petit jardin sur l'arrière, et les trois propriétés qui l'encadraient. Il se tenait à présent dans la salle où ils avaient installé leur QG, une grande salle de réunion où un téléviseur retransmettait une image fixe pour le moment : la vue en plongée de sa maison depuis la caméra que les faux agents EDF avaient installée au sommet d'un poteau. L'image englobait toute l'habitation et une partie du jardin. On pouvait zoomer et obtenir une vue plus précise de la fenêtre du salon. Mais les rideaux étaient tirés et l'on n'en verrait pas plus pour l'instant. Il avait donc été décidé de garder la vue d'ensemble, qui permettrait éventuellement de déceler une tentative de fuite par l'arrière.

Vincent montra à Monnier comment il fallait interpréter ses plans.

– On pourrait l'approcher par le fond du jardin. Il y a là une villa occupée par deux retraités. Le mur fait environ deux mètres de haut. Une fois franchi, il y a dix mètres à découvert jusqu'à la maison. Une grande porte vitrée est protégée par des volets de bois sécurisés à l'intérieur par une barre de métal.

Il parlait, parlait, pour s'enivrer et oublier que sa fille se trouvait en ce moment entre les mains d'un malade déjà responsable de la mort de plusieurs personnes.

Il avait réussi à oublier l'alcool lors de sa traque récente. L'adrénaline stimulait son énergie depuis qu'il avait découvert qu'Alexandra ne s'était pas suicidée mais qu'on l'avait assassinée, compensant amplement les effets du sevrage brutal auquel il s'était livré. Mais là, à présent qu'il se trouvait dans l'incapacité d'agir, et sachant sa fille en danger à quelques pas de lui, il ressentait brutalement un manque. Il passa sa main sur ses lèvres sèches. Dire qu'on ne pouvait même plus fumer... Ni alcool, ni cigarette... Heureusement qu'il n'avait jamais été un grand fumeur ! Il faisait frais dans ce bureau, mais Vincent transpirait. Monnier s'en aperçut.

– Ça ne va pas ?

– Si, si. J'aurais juste besoin d'un peu d'eau...

Monnier le conduisit jusqu'à une fontaine au bout d'un couloir, le regardant avec inquiétude.

– On va la sortir de là, dit-il d'un ton rassurant.

Le même ton faussement confiant que Vincent avait employé des dizaines de fois pour réconforter des victimes ou leurs proches. Un ton professionnel. Cela ne lui fit aucun bien.

– Le RAID arrive quand ?

– Ils devraient être là dans une heure. Et en mesure d'intervenir dans deux ou trois heures maxi...

Il réfréna un mouvement d'agacement. On le lui avait déjà dit, mais cela lui paraissait une éternité. Deux ou trois éternités, pour une gamine entre les mains d'un pervers. À l'idée de ce que Michel pouvait être en train de lui faire à cet instant même, Vincent sentit son sang bouillir et un vertige le saisir. Il ne pouvait pas demeurer là, les bras ballants, pendant que Michel...

– J'y vais ! décida-t-il.

– Je ne peux pas vous le permettre. Nous devons gagner du temps. Vous n'avez aucune chance. Pour l'instant, il ne lui fera rien, il vous croit en route pour le rejoindre. Allons, vous êtes de la maison. Vous savez que votre meilleure chance de revoir votre fille vivante, c'est de nous faire confiance.

Vincent vida son gobelet et l'écrasa dans son poing avant de le jeter dans la poubelle.

– Cette attente me tue.

Monnier ne put que hocher la tête avec commisération tandis qu'ils regagnaient la salle du QG.

– Du nouveau ? demanda Monnier en entrant.

– Rien, répondit le lieutenant qui surveillait l'écran. À croire qu'il dort.

Vincent lui jeta un regard noir, mais l'homme, concentré sur son écran, ne le vit pas.

– Asseyez-vous, lui conseilla Monnier en prenant une chaise.

Mais Vincent ne tenait pas en place.

L'agitation ordonnée qui régnait dans le commissariat de Dives ne parvenait pas à le rassurer. Il fixait l'écran de télévision sur lequel apparaissait la porte de sa maison, immobile comme dans un documentaire interminable.

D'ordinaire, il avait pourtant la patience nécessaire à ces longues heures passées à faire le guet, à surveiller un suspect, à planquer dans une voiture sans chauffage tandis que le gibier faisait la fête au chaud chez lui ou dans une auberge... Il avait fait cela des centaines, des milliers de fois.

Mais alors, il ne connaissait de près ni la victime ni le suspect. Aujourd'hui, c'était différent. Il faisait plus que connaître celui qu'ils guettaient tous. Pendant des années, il l'avait considéré comme son meilleur « ami » pour le découvrir soudain sous un jour totalement différent. Il n'avait plus face à lui l'ami qui avait partagé leurs vacances, leurs soirées, leurs rires, leurs joies… Il traquait dorénavant le meurtrier de sa femme, celui qui l'avait privé de la lumière et du bonheur, celui qui avait causé le désespoir de sa fille… Cet homme, il le haïssait maintenant plus que tout !

Une sonnerie retentit, le faisant sursauter et il regarda autour de lui d'un air égaré, se demandant d'où elle provenait. Tous les visages convergèrent vers lui et il réalisa que c'était son téléphone. Il l'extirpa de sa poche, regarda l'écran.

– C'est lui, constata-t-il.

– Dans mon bureau.

Monnier le poussa dans le couloir et ils se précipitèrent dans le bureau du commandant qui ferma la porte derrière eux pour les isoler du bruit du commissariat. Vincent prit la communication.

– Tu as averti les flics ! jeta aussitôt la voix de Michel dans l'écouteur.

Vincent reçut l'accusation comme un coup de poing et, déstabilisé, prit appui sur le coin du bureau.

– Mais non, qu'est-ce que tu racontes ? Comment veux-tu que je les aie avertis ?

– Ils viennent de poser une caméra en face de chez toi.

– Une caméra ?

Vincent jeta un regard noir à Monnier qui écarta les mains en signe d'impuissance.

– Tu dois te tromper…

– Me prends pas pour un con.

– Je te jure que je n'y suis pour rien !

Il pouvait jurer d'autant plus aisément que cette caméra avait été placée sans qu'on lui demande son avis.

– Qu'est-ce qu'elle fait là, alors ?

– Je n'en sais rien. T'es sûr que c'est une caméra ? Où elle est ?

Il sentit l'hésitation de son interlocuteur.

– En haut d'un poteau électrique.

Vincent réfléchissait à toute allure, conscient de jouer la vie de sa fille dans cette conversation. Qu'il commette le moindre impair, et Michel pouvait décider de se donner la mort avec Julia. Le fait qu'il lui fournisse des explications indiquait qu'il n'était pas vraiment certain de sa connivence avec les policiers locaux. Vincent décida d'en profiter.

– En haut d'un poteau ? Drôle d'endroit pour une caméra. Tu es sûr que ce n'est pas juste un boîtier électrique quelconque ?

– Je te dis que c'est une caméra.

– Ok, ok... Mais en tout cas, je n'y suis pour rien. Peut-être qu'ils surveillent la maison au cas où je rentrerais... Je suis toujours recherché.

– Où tu es ?

– Sur la route. Dans une station-service. Je viens de faire le plein, je m'apprêtais à repartir quand tu m'as appelé.

– Tu seras là dans combien de temps ?

– Je ne sais pas. Il y a pas mal de circulation. Pas avant une heure ou deux, au minimum...

Il y eut un silence à l'autre bout, comme si Michel pesait le pour et le contre avant de prendre sa décision.

– Alors ce sera trop tard, conclut-il. Dommage. J'aurais vraiment voulu qu'on discute, qu'on s'explique. Adieu.

– Attends !

Vincent paniquait. S'il raccrochait, il n'aurait jamais le temps d'intervenir avant que Michel ne commette l'irréparable. Il avait déjà perdu sa femme, allait-il également perdre sa fille aujourd'hui ?

– Attends ! Je t'ai menti !

Le temps s'étira, Michel était toujours en ligne.

Monnier le regardait sans comprendre. Vincent décolla le combiné de son oreille pour lui permettre d'entendre ce que disait son interlocuteur. Michel demeurait muet…

– Attends… J'ai un peu exagéré, je peux être là plus tôt.

Vincent sentait des gouttes de sueur ruisseler sur son front.

– Michel ? Tu m'entends ?

– Tu te fous de moi ? Tu m'as menti ?

– Je mets en pratique tes leçons. Ne pas être là où t'attend l'adversaire.

– Tu crois vraiment que tu es en position de jouer au con ? Ok. Tu es où, en réalité ?

– J'arrive à proximité de Cabourg. Je suis à une trentaine de kilomètres.

– Tu essayais de me doubler ?

Vincent n'avait jamais été aussi heureux d'avoir les idées claires qu'en cet instant pour pouvoir raisonner rapidement. Mais jamais, depuis deux jours, il n'avait eu autant envie d'un grand verre de whisky pour y puiser le courage de poursuivre. Il déglutit.

– Non, répondit-il. Mais je ne comprends pas ce qui se passe et j'essaie de voir où je mets les pieds. J'ai découvert que tu connaissais Kervalec depuis longtemps, mais je ne vois pas ce que je viens faire là-dedans. Je ne comprends rien à la situation. Rien à ton attitude. Pourquoi as-tu emmené Julia ? Qu'est-ce que tu attends de moi ?

Bon sang, que cela lui coûtait de mentir. Quand il tiendrait ce salaud... Mais il ne devait surtout pas lui laisser deviner qu'il savait pratiquement tout de lui. Ne pas l'acculer au désespoir sans lui laisser la moindre issue.

– C'est une longue histoire...

– En tout cas, ça peut s'arranger. Quels qu'aient été tes rapports avec Kervalec, on doit pouvoir te sortir de là. Tu aurais dû me faire confiance...

Michel émit un petit ricanement.

– Si tu le dis...

– Bien sûr. Je suis ton ami. Je ne te laisserai pas tomber. Kervalec était un repris de justice, tu devais avoir de bon-

nes raisons de le tuer. Il te menaçait ?
On comprendra ton geste… Mais pour
ça on doit parler.

– Seulement si tu arrives vite. Sinon…

– Attends, ne parle pas comme ça. Et
Julia ? Comment va-t-elle ?

– Elle va bien. Je m'occupe d'elle, ne
t'inquiète pas.

– Passe-la moi.

– Si tu veux lui parler, sois ici rapidement. Tu as une demi-heure pour arriver. Après quoi nous ne serons plus là ni
l'un ni l'autre. Nous serons partis.

– Michel…

– Je te dis que nous serons partis. Définitivement partis. Tu as une demi-heure.

Michel coupa la communication.

Vincent leva les yeux vers Monnier qui
avait suivi la fin de leur échange.

– Le RAID ne sera jamais là à temps. Il
faut gagner du temps.

– Nous ne pouvons pas. Il va faire une
connerie. Vous avez entendu comment il
a dit : « Nous serons partis ». Il ne parle
pas d'une croisière. Il va la tuer et se
tuer.

– Qu'est-ce que vous voulez faire ?

– Foncer.

– Rappelez-vous de ce qu'il vous disait. Ne foncez pas droit devant vous.

– J'ai joué la bande, ça n'a pas marché. Je reviens à ma méthode à moi. Cela m'a déjà réussi une fois, espérons que cela fera deux.

– Et quelle a été alors sa réaction ?

Vincent hésita.

– Il a fichu l'échiquier en l'air.

Monnier secoua la tête.

– Je ne peux pas vous laisser y aller. Nous aurons deux otages au lieu d'un.

– Vous préférez trouver deux cadavres ? Ma fille est là-bas.

– Le RAID...

– Le RAID arrivera trop tard. Ma fille sera morte. C'est ce que vous voulez ?

Monnier réfléchissait, cherchant une solution à leur problème. Il devait recenser les effectifs dont il disposait, savoir combien parmi ses hommes seraient en mesure de monter un assaut contre un forcené armé et preneur d'otage...

Vincent consulta sa montre.

– Il reste vingt-sept minutes.

Monnier capitula.

– Qu'est-ce que vous voulez ?

– Il me faut un Glock, et un flingue plus petit dans un étui de cheville.

– Pourquoi deux ?

– Le Glock, parce que c'est mon arme de service, et Michel ignore qu'il est resté à la PJ. Il va me le prendre mais il ne pensera pas que j'ai une deuxième arme. Je suis parti en catastrophe, je n'ai pas eu le temps de m'équiper.

– Je n'aime pas trop l'idée de lui livrer à domicile deux armes supplémentaires.

– On pourrait ne pas mettre de balles dans le chargeur du Glock...

– Faudrait déjà que je trouve un Glock.

Monnier ouvrit la porte de son bureau, pensif.

Chapitre Quarante-Huit

La rue était calme. Au loin, une jeune femme revenait de faire ses courses, un panier à chaque bras. Une petite fille courait sur le trottoir devant elle. La gamine s'arrêta pour regarder un gros chat qui, perché sur un mur, la toisait avec méfiance. Un instant, Vincent eut l'impression de revoir Julia lorsqu'elle avait cet âge. L'époque d'un bonheur révolu qui remontait à moins de dix ans. Alexandra vivait encore, Julia était insouciante, et lui-même croyait que le monde leur appartenait. Et, à peine une décennie plus tard, seul dans cette rue, il avait rendez-vous avec la mort. Une arme chargée contre sa cheville gauche, une autre, vide, à sa ceinture.

Il se rapprochait de la petite maison où ils avaient été heureux et qu'un monstre avait choisie comme repaire, gardant entre ses griffes sa fille, la seule personne qui comptait maintenant pour lui.

S'il l'avait touchée...

Mais Vincent savait qu'il était trop tard pour s'inquiéter de cela. Michel l'avait touchée. Plus que touchée. Et depuis longtemps. Comment avait-il pu être aveugle à ce point ?

L'alcool... ?

L'alcool n'expliquait et n'excusait pas tout. Cet alcool dont il aurait bien voulu s'enivrer encore aujourd'hui pour oublier ces pensées immondes. Mais il ne le pouvait plus. La survie de sa fille était à ce prix. Depuis combien de temps n'avait-il pas bu ? Deux jours ? Trois ? La gorge sèche, il passa le revers de sa main sur ses lèvres desséchées également.

La maison n'était plus qu'à deux pas. Machinalement, il porta la main au Glock à sa ceinture. Non. Celui-ci était vide. C'était l'autre qui comptait, le Smith et Wesson attaché à sa cheville, qu'un lieutenant lui avait confié en lui recommandant d'en prendre soin. Et comment, qu'il allait en prendre soin ! Cinq balles. Il en manquerait au moins

une quand il le rendrait à son propriétaire.

Il poussa la petite porte en bois du jardin et franchit les deux mètres le séparant de l'entrée de la maisonnette.

Michel avait guetté son arrivée par la
fenêtre.

– Pour quelqu'un qui était à Pontivy il
y a moins de trois heures, tu as fait vite,
constata-t-il en ouvrant la porte.

Il lui braquait un Manurhin sur le
visage et s'écarta pour le laisser entrer.

– Je t'avais un peu menti pour gagner
du temps.

– Eh bien, ça ne t'aura pas servi à
grand-chose ! Entre…

Vincent fit un pas prudent à l'intérieur, son regard balayant le petit salon
plongé dans la pénombre. Julia était
assise dans le fauteuil le plus éloigné de
l'entrée, le visage défait et les yeux bouf-
fis par les larmes.

– Tu vas bien ? lui demanda-t-il.

Elle hocha la tête sans lui répondre,
incapable de parler. Vincent sentit une
boule lui obstruer la gorge et voulut se
tourner vers Michel. Sa pommette se
heurta au canon du revolver.

– Ne bouge pas, ordonna Michel en glissant la main sous sa veste.

Il lui palpa rapidement le torse et la ceinture, à la recherche d'un micro, avant de le délester du Glock.

– Assieds-toi là.

Vincent se laissa tomber dans le fauteuil qu'il lui désignait, à l'opposé de sa fille.

Michel avait à présent deux armes en main.

– Qu'est-ce que tu comptes faire ? demanda Vincent.

– Tu ne me laisses guère de choix.

– Tu comptes me tuer comme tu as tué Alexandra ?

– Tu as compris ça ?

– Depuis un certain temps. Ce que je n'avais pas compris, c'était pourquoi. Et puis tout s'est éclairé quand je suis venu ici.

Il posa le regard sur Julia qui détourna la tête, dissimulant son visage sous la frange de ses cheveux.

– Il y a longtemps que cela dure ?

– Que « quoi » dure ?

– Il y a longtemps que tu abuses de Julia ?

Vincent était surpris par le calme avec lequel il avait posé cette question. Compte tenu de la rage qui bouillonnait en lui, il était étonnant qu'il soit parvenu à articuler ces quelques mots. Il haïssait maintenant cet homme, et ne rêvait que d'une chose : le voir mort.

– *Abuser* est un bien vilain mot, se défendit Michel. Tu ne peux pas comprendre la nature des liens qui nous unissent, ta fille et moi.

L'éternelle justification des pédophiles !

Vincent inspira profondément pour ne pas lui sauter à la gorge.

– Alexandra s'en était aperçu ?

– Elle ne s'était aperçu de rien. Il a fallu que ce rat lui parle.

– Kervalec ? Qu'est-ce que tu as fait pour le mettre soudain en colère, après tout ce temps où il a été ta chose ?

– Il était *ma chose*, comme tu dis. Mais il n'a pas apprécié que je m'intéresse à son fils. J'aime bien les petits garçons. Ils sont tellement différents des petites filles, et pourtant si semblables...

Michel le regardait avec un air de profonde candeur en disant cela, et Vincent réalisa qu'il était probablement satisfait de pouvoir en parler, soulagé de trouver enfin quelqu'un à qui expliquer sa façon de voir les choses, après toutes ces années passées à se cacher. Pour autant, cet aveu ne lui laissait aucune illusion sur ce qu'il comptait faire de lui une fois sa confession terminée.

– Tu te rends compte qu'il avait décidé de me tuer ? Il a même acheté un flingue pour ça. Mais au dernier moment, il s'est dégonflé. Il a préféré parler à Alexandra, sachant que son mari était flic.

– Et tu as tué Alexandra.

Julia tourna la tête dans leur direction en entendant cette accusation. L'horreur qui se lisait au fond de son regard, dépassait tout ce qu'elle avait pu éprouver jusqu'à cet instant.

– Elle ne m'a pas laissé le choix. Elle allait t'en parler, prévenir les collègues… Je ne peux pas me permettre d'aller en prison. C'était elle ou moi. Je suis désolé.

Il ne le paraissait guère.

– Et comment as-tu pu la convaincre de se laisser « suicider » ?

– Très simple. Julia devait rentrer de l'école moins d'une heure plus tard. Je lui ai dit que si elle ne se laissait pas faire pour que sa mort ait l'air d'un suicide, je la tuerais quand même, puis je tuerais Julia, et j'attendrais ton retour pour te tuer à ton tour et faire en sorte que l'on croie que tu avais assassiné tout le monde avant de te donner la mort.

Sans doute, comptait-il appliquer le même plan aujourd'hui, en espérant s'en sortir une nouvelle fois par une pirouette. Aucune chance qu'il réussisse, avec les policiers entourant la maison, mais cela, il ne pouvait pas le savoir.

Michel glissa le Manurhin dans sa ceinture et changea le Glock de main.

– Crois bien que je suis désolé, dit-il en le posant contre la tempe de Vincent.

La main droite de Vincent fusa et se referma sur son poignet à l'instant où retentissait un petit « clic » dérisoire. Vincent se levait déjà, en lui tordant le poignet de toutes ses forces. Michel bascula en arrière en hurlant, se dégageant dans sa chute et roulant jusqu'aux pieds de la table tandis qu'il lâchait l'arme inutile pour reprendre la crosse du Manurhin qui dépassait de sa ceinture.

Vincent plongea la main droite vers sa cheville. De la gauche, il releva le bas de son pantalon, mais l'ourlet se prit dans l'étui de cuir et demeura accroché.

Là-bas, à quatre mètres de lui, Michel refermait sa paume sur la crosse striée du Manurhin.

Vincent vit comme dans un cauchemar la main de son ennemi arrachant l'arme de sa ceinture tandis qu'il se relevait sur un coude, et son bras qui commençait à effectuer un balayage pour la braquer sur lui.

La gueule noire du canon court arrivait en direction de sa tête. Le Manurhin était chambré en 357 Magnum, ce qui ne lui laisserait aucune chance. Qu'une seule balle le touche et l'onde de choc le secouerait tellement que l'achever ne serait plus qu'une formalité.

Et l'ourlet de son pantalon céda soudain.

Vincent bascula en arrière tandis que sa main droite se refermait enfin sur la petite crosse du Smith & Wesson.

Sa chute le sauva. Le Manurhin tonna et une balle passa en sifflant au ras de ses cheveux. Vincent tira à son tour alors que le canon de l'arme de Michel s'abaissait déjà pour un second tir.

La détonation du 38 fut plus faible que celle du 357, et la balle n'avait pas la même puissance, mais elle toucha sa cible. Et quatre mètres seulement les séparaient. Michel bascula en arrière, une étoile pourpre maculant sa chemise.

Il n'avait pas lâché le Manurhin et tentait de se relever. Vincent se redressa et s'approcha pour le désarmer d'un coup de pied. Puis il lui braqua le petit revolver entre les yeux. Il tenait à sa merci l'homme qui avait tué sa femme, l'homme qui violait sa fille depuis des années, l'homme qui avait trahi sa confiance et une amitié de vingt ans. Il ramena le chien de l'arme en arrière. Michel le fixait sans ciller.

– C'est l'heure de payer, dit Vincent.

– Papa !

Le cri de sa fille perça l'écran de haine qui l'entourait depuis quelques secondes. Il réalisa qu'elle se tenait à deux mètres d'eux et les regardait.

– Va dans ta chambre, dit-il.

Mais elle ne paraissait pas décidée à bouger. Il reporta son attention sur

Michel. La blessure ne mettait pas sa vie en danger. Il l'avait touché à l'épaule gauche, loin du cœur. Il allait remédier à cela.

Michel le fixait. Sur son visage, Vincent voyait se superposer celui d'Alexandra qu'il avait abattue sans pitié. Il lui braqua à nouveau son arme sur le front.

– Adieu.

– Papa ! Non ! C'est ce qu'il veut !

Vincent s'immobilisa. La pression blanchissait son doigt sur la détente, à un cheveu de libérer le percuteur sur une détonation qui mettrait fin à la vie de celui qui avait apporté le malheur sur leur famille.

– Papa ! Je t'en prie ! Si tu le tues, c'est toi qui iras en prison. Tout à l'heure, il a voulu me tuer, mais il ne l'a pas fait quand je lui ai dit que tu le tuerais. Il sait que la police va l'arrêter et il ne veut pas aller en prison. Il est bien trop lâche pour se suicider.

Vincent hésita, et Michel lut le doute dans son regard. La panique figea ses traits.

– Qu'est-ce que tu attends, connard ? Tu veux que je te dise comment j'ai baisé ta fille ? Tu veux que je te raconte comment elle couinait…

Un voile rouge passa devant les yeux de Vincent et il remonta l'arme pour la braquer à nouveau sur le visage de Michel.

– Papa !

Les cris de sa fille venaient de très loin.

– S'il te plaît ! Je ne veux pas que tu ailles en prison. J'ai besoin de toi…

La vengeance était à portée de sa main, si douce… si tentante…

Sous lui, Michel s'était mis à hurler des insanités qu'il n'écoutait plus, des mots où il était question d'Alexandra qu'il avait baisée aussi avant de la tuer… Vincent savait que c'était du bluff. Mais il redoutait que ne soit vrai ce qu'il allait entendre à propos de sa fille.

Vincent tira, pour le faire taire, pour éviter de décevoir sa fille, pour ne pas lui mettre une balle dans la tête comme il le méritait.

Michel hurla, de douleur cette fois.

Entre ses cuisses, une tache écarlate s'élargissait sur son pantalon. Vincent avait détourné son bras au dernier moment.

Cette nouvelle détonation le tira de sa torpeur. Il fit deux pas, l'arme encore fumante au poing, et tendit la main gauche à sa fille.

– Viens, dit-il.

Elle prit sa main, et il l'aida à s'extraire du fauteuil d'où elle n'avait pas osé bouger jusque-là. Elle lui enserra aussitôt la taille de ses bras et enfouit son visage contre sa chemise. Il lui caressa doucement les cheveux.

– C'est fini, dit-il. La police est dehors. Elle nous attend.

Doucement, il l'entraîna vers la porte.

– Reste là, dit-il en la poussant dans le recoin du mur.

Puis il ouvrit. La lumière extérieure envahit la petite pièce, le forçant à cligner des yeux.

– C'est moi, cria-t-il, Vincent Brémont. Tout va bien.

Du pied, il jeta le Manurhin au-dehors, avant de balancer le Smith & Wesson. Le Glock devait être quelque part sous un meuble, mais il était vide.

Puis il sortit, les bras levés.

Trois policiers se tenaient de part et d'autre de la petite grille, arme au poing.

– C'est bon, leur dit Monnier. Venez, Vincent.

Vincent se retourna pour faire signe à sa fille de sortir à son tour. Julia apparut, clignant des yeux, ébouriffée, les cheveux emmêlés.

Mais c'était la plus jolie petite fille qu'il ait jamais vue. Il la prit par les épaules et ils sortirent dans la rue tandis que les policiers se ruaient à l'intérieur.

– Il n'est que blessé, expliqua Vincent devant le regard interrogateur de Monnier.

– Il y a eu trois coups de feu...

– Le premier était le sien. J'ai riposté et je l'ai touché à l'épaule. Ensuite, le dernier coup est parti tout seul quand j'ai voulu ranger mon arme. Désolé, je ne suis pas habitué à ce modèle. La détente est sensible...

Monnier le fixait, dubitatif, mais ne dit rien.

Une ambulance déferlait vers eux, toute sirène hurlante, et elle s'arrêta dans un crissement de pneus. Une jeune

infirmière en descendit avec une couver-
ture dans laquelle elle enveloppa Julia.

– Nous allons vous conduire à l'hôpi-
tal, dit Monnier.

– Un blessé, il faut une autre ambulance, annonça un des lieutenants qui
venait de ressortir de la maison.

– Elle est en route.

Vincent serra sa fille contre lui.

– Il va aller en prison ? demanda Julia.

– Et il n'est pas près d'en sortir !

Vincent regrettait de ne pas l'avoir tué.
Il en avait ressenti un besoin physique,
viscéral, au plus intime de son être,
lorsqu'il l'avait eu à sa merci, mais il
était heureux de ne pas l'avoir fait.
Michel allait avoir des années pour
regretter ses actes.

Des années que lui mettrait à profit
pour reconstruire la vie de sa fille...

FIN

Remerciements

L'auteur tient à remercier le commissaire divisionnaire Loïc Garnier, pour ses précieuses indications dans différents domaines de l'activité policière.

Du Même Auteur

Le patient 127	Belfond, 2004
L'ombre de Claudia	France Loisirs, 2003
Le prix de l'angoisse	Belfond, 2002
La mort au soleil	Flammarion, 2000
Magie noire	Baleine, 2007
Teddy est revenu	Claude Lefrancq, 1997

Site de l'auteur : **http://www.gilbert-gallerne.com**

PRIX DU QUAI DES ORFÈVRES

Le Prix du Quai des Orfèvres, fondé en 1946 par Jacques Catineau, est destiné à couronner chaque année le meilleur manuscrit d'un roman policier inédit, œuvre présentée par un écrivain de langue française.

• Le montant du prix est de 777 euros, remis à l'auteur le jour de la proclamation du résultat par M. le Préfet de police. Le manuscrit retenu est publié, dans l'année, par la Librairie Arthème Fayard, le contrat d'auteur garantissant un tirage minimal de 50 000 exemplaires.

• Le jury du Prix du Quai des Orfèvres, placé sous la présidence effective du Directeur de la Police judiciaire, est composé de personnalités remplissant des fonctions ou ayant eu une activité leur permettant de porter un jugement sur les œuvres soumises à leur appréciation.

• Toute personne désirant participer au Prix du Quai des Orfèvres peut en demander le règlement à :
M. Éric de Saint Périer
secrétaire général du Prix du Quai des Orfèvres
18, route de Normandie
28260 BERCHÈRES-SUR-VESGRE
Téléphone : 02 37 65 90 33
E-mail : p.q.o@wanadoo.fr

La date de réception des manuscrits est fixée au 15 avril de chaque année.

Photocomposition Nord Compo
Villeneuve-d'Ascq

Achevé d'imprimer en novembre 2009 en France sur Presse Offset par
Maury-Imprimeur - 45330 Malesherbes
N° d'imprimeur : 151072
35-17-1780-2/01
Dépôt légal : novembre 2009
Imprimé en France